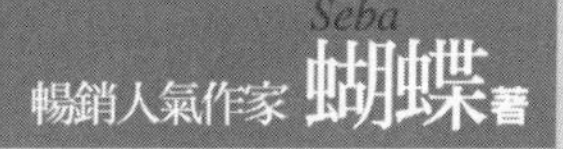

文字充滿魔力的 蝴蝶 古裝言情經典重現！
PTT、部落格破5000萬人次網友齊道：「大四喜系列是最想收藏的古裝夢幻逸品。」
她，聰明慧黠，是專醫汪洋大盜的「鬼醫」，
他，雄才大略，是懷有帝骨的不凡「馬賊」，
因為一場從簡單變複雜的出診邀約，
他和她，一路患難相扶持，心，悄悄地相繫了……

楔子

窗外柳條兒初萌，春寒方去，碧淨的天空讓雲絮兒洗了又洗，粼粼的宛如水光，清麗的這麼可喜，讓人瞧了心兒整個飛了出去。

林家三小姐麗郭，手裡的針線遲遲下不了第二針，痴痴的望著如此明麗春光，幽幽的嘆了口氣。

其他三個姊妹很齊心的一起在桌下各踹她一腳。

她剛要呼痛，幾個姊妹一起把食指放在嬌嫩的粉唇，無聲的對她噓半天。

「悄聲。」大姊麗婉用低到不能再低的聲音說，「妳不怕爹爹聽到？若讓爹爹聽到妳嘆氣，可又是兩個時辰的長篇大論了。」

麗郭沒精打采的繼續繡著煩人的女紅，「我們的爹爹是江湖有名的大神醫、大豪傑，沒想到腦袋裡頭裝了草，腐儒成這副德行……什麼年代啊，別人家的女孩兒騎馬踢毬，咱們卻得關在屋子裡唸女誡、繡這勞什子……」

幾個姊妹拚命噓她，麗郭又挨了好幾腳。

正值盛唐，國風開放富裕，路上的女孩兒騎馬行走，穿艷裝談笑自如，眉飛色舞，國人視爲平常。然而生活在林府的四個小姐，雖是醫武雙絕林神醫的武林千金，偏偏比書院家的小姐更受束縛。

神醫林雙無是武林赫赫有名的人物，醫者父母心加上淵博的武學，終年在外排憂解困，救人無數，是黑白兩道都景仰尊重的俠客神醫。

但是這位神醫爹爹卻非常的腐儒，家中四個女兒都不准她們外出，認爲女孩子終究要嫁人，雖在武林，仍然是讀書人家，雖然四個女兒都是學武的奇才，但還是不准她們拋頭露面，只可在家刺繡讀書。

這位神醫四海奔波救人，難得回來家裡，但是對女兒們的管束從沒有鬆懈過，除了嚴託林太夫人好好管教這四個早年喪母的女兒，回到家裡，總是先考究女兒們的功課和女紅。

前天，林神醫終於回來林府，女兒們高興歸高興，但是一路趕路回家也是很喘的……

「涉江采芙蓉，蘭澤多芳草……」

遠遠的，聽到小婢開始朗誦古詩，武功最好的老四麗剛警覺到，低聲說：「父親進園子了！」

從「麗景苑」大門開始，小婢們用古詩做暗號，一站傳過一站，等到了「同心而離居，憂傷以終老」，林雙無已經踏入大門。

林雙無看著這四個靈靈水蔥兒般俊秀的女孩兒，心裡不禁是一陣驕傲。

「麗萍，妳又教小婢們讀詩了。」他這個二女兒頗有閨師之風，將家裡上下的小婢長工教得知書達禮，人人會唸幾段古詩，果然是他們讀書人家的千金。

「爹爹，閒來也教教他們，總是自家人。」麗萍顧盼間自有一股儒雅風流，雖不是怎樣的國色天香，也是四個姊妹裡頭容貌較不出色的，但是那股書讀破萬卷的靈秀，卻讓人移不開目光。

唉，可惜是個女孩兒。若是男孩，怕是十個狀元也考上了。雖然說林雙無淡泊名利，不求仕途，總覺得這孩子的才華有些埋沒了。

他坐了下來，麗婉馬上站起來，從小婢手裡端了茶奉給父親。

「對了，麗婉，帳簿我看了。難爲妳整理得這麼用心。祖母年紀大了，妳幫著照看家裡照看得挺好的，只是別太勞神。」

「這是女兒分內該做的。」麗婉溫笑，卻掩不住臉上那股神采飛揚，一雙丹鳳眼閃閃的，艷麗不可方物。

說到這個大女兒，又是他的另一個驕傲了。年方十九，已經將偌大的林府整理得井井有條。他過世的夫人和母親林太夫人已經算是治家的能手了，這女兒不但治家的手段高過母親和祖母，甚至將林府名下的藥店和醫館打理得無比興旺。

他在外奔波，爲天下病家奮不顧身，一時短少了經費，都是這個大女兒從家用裡撥出來，一看家帳，居然不減反增……

將來必是能幹的管家主母，哪家有福氣得了她去呢？

「妳也該有人家了……前天尚書府……」

「爹爹，奶奶年紀大了呢，女兒還想盡盡孝心。」她垂下眼睛，「再說，女兒早已指腹為婚……」淡淡的羞紅了臉，卻有點哀戚。

「唉，是為父誤了妳。」林父有些感動，卻也感慨。「將妳許給蔣家，偏偏他們家逢大禍，十幾年沒有音訊。妳又何苦為了未曾謀面的夫家……」

「貞女不事二夫。」她滿臉的堅毅，「我願侍奉祖母和父親終生。」

果然是他嚴守女誡的好女兒。這反而讓他不好再勸了。

他轉頭看看三女兒，這孩子的女紅一點進步也沒有。「就說了，麗郭，成天弄草弄藥不是辦法，瞧瞧妳的女紅，繡這什麼什麼狗啃葉子。」

「……醫館總要有人照看。」麗郭長得溫柔可親，一皺起秀眉，又讓人愛憐，「爹爹，我也很少去醫館了，您就別唸人家。」她愁眉苦臉的戳著針線，連林父都覺得好笑。

將來把她嫁出去，非配她幾個針線好的小婢過去不可。不過她那手醫術，也不見得會讓她吃虧多少吧！有幾家有名的醫府都來求親了，只是他總擔心三女兒嫁過去，反而成了人家的搖錢樹，太勞神，總是還在考慮中。

一轉眼，看見老四縮在一邊不出聲。這個古靈精怪的女兒他最心疼也最頭疼。壞就壞在沒兒子，又喜她天生武學奇骨，未免有些當男孩子養了……一到十四歲，發現她居然撂倒了跟她半開玩笑的武俠父執，心裡一驚非同小可。跟她過招，發現自己居然養出個不世出的俠女，後悔得不得了。

「別躲了，麗剛。」林父板起臉，「把手伸出來。」

她乖乖的伸出雙手給父親看，林雙無端詳半天，發現沒再長習武人的薄繭，這才稍微安心點。

又看了看她們的針線和字帖，覺得養了四個知書達禮的女兒，很是安慰。

「妳們的婚事……」四個女兒各差一歲，早就該有人家了。

「我已有夫婿，我要侍奉奶奶和爹爹。」麗婉很堅決。

「爹，我的婚事還不急，我幫大姊打理家務。」麗萍溫婉的說。

「我……我要陪奶奶和姊姊。」麗郭慌了。

「先打得過我再說吧！」麗剛無精打采的。

「麗剛！」

林雙無和三個姊妹一起兇她。

結果她讓四個人連說帶唸，手不長繭，耳朵倒是長繭了。

等父親一出大門，麗剛往床上一倒。「……我的天爺……」

「妳自己找罵挨，怪誰啊？」麗婉撫著心，「妳若露餡兒……」

「我幫妳們轉移注意力欸。」麗剛伏枕不起，「不用感謝我了。」

待沒幾天，王府的趙大人親自跑來，跟林雙無求援，西南戰事正緊，但是瘴癘橫行，折兵損將很是嚴重。林神醫雖非官場中人，卻也視國家大事爲己任，義不容辭的離家了。

女兒們不免一陣叮囑，眼送著父親離開了。

林太夫人望望這四個孫女兒，「這下好了，妳們爹一走，妳們又都飛了。」

「奶奶——」四個孫女一起黏上來，麗郭更是不依，「我才沒有！我還在家的勒。」

「是喔，妳在後山的賊窩別讓妳爹發現了。專醫江洋大盜，妳還弄個什麼難聽的外號——『鬼醫死要錢』？好好的女孩子家……」林太夫人數落著，卻也疼愛的攬緊這個嬌俏的三孫女。

「江洋大盜醫死也沒差，那麼多不義之財弄些來花花也應該的。聖人不死，大盜不止。好歹也從他們身上撈些。」麗郭不在乎，跟麗婉招手，「大姊，我攢了些錢，妳幫我投資一下。爹爹實在太愛濟世救人了，不留點本錢不夠他花的。」

「好啊，等等把錢給我的小廝。」麗婉忙著換男裝。每每父親離家，她樂得換上男裝，搖身一變成京城名動天下的大商賈「林大爺」。奇準的眼光和賭徒般的性格，讓她在商場上呼風喚雨無往不利。提到那個謎樣的「林大爺」，莫不讓同業咬牙切齒又不得不賣「他」的帳。

麗萍也在忙著整理箱籠，趕著回金陵的書院，所以跟大姊同路。她飽讀詩書，見解精闢，總恨自己是女兒身，不能與天下學子切磋砥礪。偶然的機緣讓她成了「銀鹿書院」的講書先生，名氣大到連史官都要隔簾請益。她託言容貌咽喉皆有舊傷，不便見客，總是隔簾講經，春風化雨，許多學子能在她門下，都是一種榮幸。誰又知道簾後語氣輕柔斯文，隔簾猶然以摺扇遮面的「萍蹤先生」，居然是個年滿十八的靈秀女孩兒？

一片混亂中，只有麗剛最悠閒，她向來輕裝打扮，也從不易容，總是一頂輕紗帽，戴著一雙銀絲手套，揹著簡單的行李，就五湖四海亂走了。

「這次哪兒做買賣？」麗婉取笑她，「神隱大人，妳好不好『取』了啥好東西，直接拿給我算了？我幫妳銷贓贓。反正都是不義之財……」

「呿，」麗剛撇撇嘴，「我雖『不告而取』，到底也都『完璧歸趙』了。」

「只是要贖金而已。」麗郭也笑了，「哪有偷到皇帝家裡，要的贖金是『放出年長秀女三千』的？」

「當林神醫的女兒嘛，總是要有點俠義之心……」麗剛開了窗戶，回頭抱著祖母親了一下，「奶奶，父親若回家，跟我飛鴿送個訊兒。若來不及，就說我上山讀書，修身養性吧！」

「這次又是什麼山呀？」林太夫人頗無奈，摸摸這個古靈精怪的孫女柔軟的頭髮。

「武當山囉。」話才說完，她纖腰一扭，已經在數丈外的屋頂，「奶奶保重，我事情辦完就回來。芳雯，」她喚著一起長大的小婢，「記得幫我做女紅跟寫字帖呀！」

芳雯應了，麗剛的身影已經不見了。

「怪人。」麗婉一展摺扇，穿著男裝的她看起來更顧盼風流瀟灑。

溺愛孫女的林太夫人嘆了口氣，林府哪個人不怪的？怪是怪，仍然都是她值得驕傲的心頭肉呀！

「都小心呀……」她叮嚀又叮嚀，望著她們去遠了，才讓麗郭攙著進門。

林府的大門關上了。然後，屬於林家女兒的故事，這才要開始……

第一章

流泉潺潺，伴隨著多少清寂歲月。

麗郭停下了針線，傾聽著從小聽到大的流泉，小窗外有著雙雙粉蝶兒飛過，即使是酷暑，她的小院依舊有著滴翠的竹蔭，竿竿沁涼。

碧紗窗下的少女，沉思的模樣令人沉醉。若說美貌，她不及大姊的絕艷，也不像二姊有著極雅的雍容書卷氣，更不如小妹嬌憨又慧黠的靈動，但是，這位林府三小姐卻擁有一種慵懶，帶著一點點厭世和嘲諷，總是喜歡拿著羅扇的她，一雙清澈的眼睛像是可以看穿一切生死、善惡。

這或許是她一方弱質，卻能以金針代諭令，暗黑武林無人敢輕犯的主因。只要讓她慵懶卻又澄澈的媚眼一瞧，任是誰也不敢輕舉妄動。

不過是半個月的光景，之前驚心動魄的逃命恍如隔世，塵埃落定後，她隨著奶奶回家，過著和平而安逸的小姐生活。

和平，眞是太和平了，和平到她無聊得快要死掉了！

若不是無聊到想撞牆，她怎麼會拿起針線啊?!她快悶死了！快悶死了啦！整天關在這個宅院裡，到底要關到哪一天啊?!

她狠狠地刺著繡，像是跟手裡的女紅有仇似的。

林太夫人走了進來，看了看她的女紅，嘆了口氣，「咱們家後院的那棵月季，讓蟲蛀得差不多了，但是看起來……似乎比妳繡得這株還好看許多。」

麗郭沒好氣，「奶奶，我繡的是萬壽菊。」

林太夫人又嘆了口更長的氣，「我說麗郭，一針一線當思得來不易。妳幹嘛這樣浪費針線——」

「奶奶！」麗郭抗議了。

「我知道妳悶得慌。我們家的女孩子，哪一個是拘得住的？奶奶也沒要妳天天在家裡孵蛋，怎麼就成天這樣要死不活的待在家裡？奶奶又跟妳爹不一樣，妳若還想回去當妳的鬼醫，奶奶可會阻妳？就是那名號難聽得緊，妳就不能……」

麗郭低頭繼續繡她那像是狗啃過的萬壽菊，「在家很好，我沒什麼好抱怨的。」

林太夫人看了她兩眼，「妳這孩子，看不破生死就看不破，才多大年紀，何必硬要裝大人？」

「我沒有啦……」麗郭不太自在的把臉別開，「奶奶，我聽不懂妳說啥。」

好笑的看了看這逞強的三孫女，林太夫人也不去戳破她。這四個孫女都是她的心頭肉，就這孩子最是逞強好面子。

所謂懷璧其罪，人在家中坐，禍從天上來。好端端的，就因爲麗郭能醫「玄天冰月掌」，意圖雄霸武林的靈虛偕同墨陽綁人不成，怒而襲殺了在她鬼醫館的暗黑武林高人，又放火將鬼醫館燒了，不知死了多少暗黑群豪。

雖然麗郭保全了性命，表面上裝得若無其事，心裡卻一直難過著。只是她生性剛強好面子，從來不肯示弱，但事情都過去這麼久了，靈虛自作自受，墨陽也墜谷身亡，她卻連回去鬼醫館看看都沒有，成天悶在家裡，她撐得住，看的人卻受不了。

「沒事就好。」林太夫人輕咳了聲，「有本書奶奶找不著，搞不好就擺在地道的藏書庫裡，妳叫哪個小廝去幫我找了來吧。我記得是叫什麼金匱的……」

「我去找吧。」麗郭很高興有機會可以去走走。「爹不喜歡小廝亂翻書庫的。」

說是親自去找，這位肩懶抬、手懶提的姑娘，還是差了小廝抬軟轎，一路沿著地道過去書庫那兒。

林家在濟南立宅百年，先人極具巧思，在山內挖掘了寬廣的地道直通後山，地道內甚至有規模宏大的藏書庫。自幼她們姊妹就在地道裡捉迷藏、讀書玩耍，就像另一個林宅似的。

奶奶要的書倒是不費勁就找著了——自從二姊到金陵當教書先生，這個書庫幾乎都是她在管的。拿著書，望著幽暗地道的那一頭，麗郭發起呆來。

「三小姐，書可拿了？這就回去了嗎？」小廝殷勤的問。

「書？哦，我拿了。」她不由自主的說著，「時候還早，先到後山看看吧。」

幾個小廝古怪的互相看一眼。這四位小姐各有抱負，又親厚待人，她們能夠在外行走而不被老爺看穿，端靠下人們眾手遮天，以及林太夫人的大力維護。

遠在外地的三位小姐他們不清楚，但是這位在後山開起鬼醫館，讓眾土匪、強盜頭子服服貼貼的三小姐，可是他們日日所見。

說起來，下人們都極喜愛、尊崇這位藝高人膽大的三小姐。這些日子她會悶在林宅半個月，他們也不是不能體會她的心情……

苦心經營的鬼醫館被燒得剩下一片空地，又在她鬼醫館死了這麼些暗黑武林的頭子前輩，可以說她這幾年辛苦的成果全燒光了，就算是個大男人，也不太禁受得起這樣的打擊吧？

「三小姐，太陽大，咱們家和地道裡陰涼不覺得，後山可熱得緊。咱們出來得匆忙，連紗帽也沒戴一頂，熱壞您怎好呢？」年紀大一點的小廝勸著，「改明兒天氣涼快點，多派些人手陪妳過去好不？就算太陽不大，後山猛獸多，就我們幾個——」

「不妨事的。」麗郭嘆了口氣，「你們抬我到地道口就歇著吧，我也只是瞧瞧罷了。」她蹙起秀氣的眉，拿著羅扇遮臉，不讓人看到她的表情。

小廝們知道勸她不動，暗暗差了人回去加派人手過來，依舊是照她的指示，抬了軟轎到地道口。

麗郭默默的下了轎，站在地道口。她背對所有的人，淡淡的說：「我在附近走走，別跟過來了。」

她不希望任何人看到她的表情，甚至連自己也不想看到。

一切是怎麼開始的呢？不過是個偶然吧。

父親嫉惡如仇，所有賊寇都擋在林府之外。那一天，麗郭剛好巡完藥館回家，在門牆外聽到男人痛哭的聲音。

「大哥！你撐著點！俺再去跟林老頭磕頭看看，若是林老頭怎麼都不醫你，俺放把火把林府燒了！」幾個長了滿臉大鬍子的草莽大漢，圍著一個要死不活的人哭著。

「別、別這樣……」奄奄一息的漢子拉住兄弟們，「林神醫不是我們惹得起的……我刀疤王五揹了多少人命，我自己知道……看來十八層地獄還不夠哩。這輩子，有了你們這群兄弟，我也算不枉此生了……

「二弟，你處事公平，就是有點衝動。兄弟們都交給你了，凡事要多忍忍，做買賣不要魯莽……留得青山在，不怕沒柴燒，須知吃急了砸碗啊……寨裡的糧草不少，這些年錢也賺得夠了，若是兄弟們要當良民……也就由他們了，錢財別小氣，都是自己兄弟啊……」

「大哥，你說這什麼話?!」老二哭得滿臉眼淚、鼻涕，像牛一樣的痛嚎，「咱們兄弟當初怎麼說的？不能同年同月同日生，但願同年同月同日死！俺是粗人，啥都不懂，但我懂得大哥就是我的親人！當年若不是你把我從死人堆裡拉出來，今天還有俺嗎？俺管他林老頭是三頭六臂，惹不惹得起……惹不起也得惹！大哥啊……」

刀疤王五生氣了，嘔出一口血，「你、你要氣死我！到底當不當我是大哥？我能眼睜睜看著兄弟在這兒送命嗎？老二，你你你……你要氣死我……」

立在樹蔭下的麗郭，聽著這些漢子的對話，心裡有一點點異樣。

原來……壞人不是純然的壞。就算壞人也有一絲絲溫柔的心腸，爲了自己的親朋好友，也是願意磕頭、願意下跪、願意獻出自己一切的。

想要燒林府？若是那麼容易，林府早被燒了不下一千次了。明明知道這麼困難，他們還是……

「神醫不醫，鬼醫醫。」她淡淡的開了口。

幾個漢子戒備起來，雖然眼前這個弱不禁風、衣袂飄飛的姑娘柔弱得像是初綻的桃花，但是行走江湖日久，他們十分瞭解，老人、女子、小孩通常是最難纏的人物。

「小姑娘，俺只聽過林神醫，還沒聽過啥鬼醫。」老二粗聲回答，看她全身像是充滿破綻，真要動手卻又無隙可趁，不禁更戒備三分。

麗郭沉吟了片刻，不知道自己為什麼會信口胡謅。呿，她才不是憐憫這些土匪呢，只不過是要試試自己的本事。

對，一定只是這樣。

「有銀子就好辦事。」她冷淡的點點頭，「先把病人送到後山吧。小虎，」她喚著小廝，「帶這些爺兒去後山柴房那兒。」

刀疤王五是她救的第一個土匪，一傳十、十傳百，漸漸的，暗黑武林都知道了她這個人物，後山的柴房也早就改建成石砌宅子，好醫治絡繹不絕的病人。

病人太多，她醫到累、醫到煩，醫到對著這些刺龍刺鳳的帶頭大哥們亂發脾氣，但是這些土匪強盜卻低頭隨便她這個姑娘罵。

他們眞當她是可以平起平坐的「鬼醫死要錢」，而不是關在林府裡的「婦道人家」。她不願也不敢承認，和這群身上背負著無數人命的敗類相處時，她才覺得自己可以自由呼吸。

但是，一場大火將一切都毀了。

麗郭有點茫然，有些遲疑，但還是走向鬼醫館的舊址。唉，她會關在家裡不願外出，到底是怕面對這斷垣殘壁吧……

只是——

望著眼前的石砌宅子，麗郭愣了一下。

應該是斷垣殘壁才對吧？爲什麼……爲什麼又有棟石砌宅子在這兒？

正在吆喝著手下的刀疤王五不經意看見了她，跟著愣住了。

「……鬼醫！是鬼醫！」他像是熊般的吼了起來，震得附近的樹葉都晃動了。

聽到他的喊叫，遠遠近近的人都跑了過來，神情激動。

應該害怕的麗郭反而鎮靜下來。是該有個交代的，多少無辜的幫主長老都慘死在那把怨火中，她是該給個交代的。

因爲這是她的鬼醫館。她，是「鬼醫死要錢」。

她深深吸了一口氣，正要開口，凶神惡煞似的漢子卻齊齊跪了一地，虎目含淚，「您……您老人家沒事兒，眞是太好了……江湖大會一別，您就沒了音訊，可累得我等擔心受怕呀……」

麗郭呆了呆，不由自主的拿起羅扇遮面，「誰惹得起我？」她背過身子，佯裝看宅子，「男兒膝下有黃金，我可還沒死呢，需要這樣跪著咒我嗎？」

居然……居然沒人怨她，白白死了那麼多病人，他們居然沒個人怨她。麗郭心裡流轉著說不出的滋味。

或許，眞正怨的，是她；眞正愧疚的，也是她。

她眨了眨眼，裝作若無其事，「宅子幾時蓋好的？什麼人在看病？」一面信步往裡頭走。

刀疤王五——自從他那傷了心脈的一刀讓麗郭救了之後，一年裡起碼有一季在這兒維持秩序，他恭恭敬敬的跟在後面，「回您老人家，宅子才蓋好不到一旬，石砌宅子是難蓋了些。眼下的病人，是之前各幫在您這兒學藝的師爺參謀們診治的……」

「跟我送個訊兒很難嗎？」麗郭的語氣冷淡。

王五嘴巴張了張，抹了抹額頭的冷汗。他讓麗郭的氣勢壓得久了，莫名其妙的「敬愛」起這位鬼醫，怕她說反話來著，推敲了半天，才小心翼翼答道：「我們……我們不知道您老人家的來歷，往哪兒送訊呢？」

就算撕爛嘴，他們這些草莽盜賊還是有其義氣在，她是林家三小姐的事，可是掉腦袋也不能說的！

麗郭卻一句話也不說，只是靜靜的站在人來人往的大廳裡。在她手下學過一點醫術的軍師參謀都過來請安，她只略點了點頭，示意他們繼續醫治。

瞧她這樣安靜，大家反而不安起來。到底鬼醫還是摔著病歷、硯台罵人，才像是鬼醫大人啊。

「你眞的在我手下學過醫嗎？」麗郭怒不可遏，手上的羅扇朝金鰲幫的師爺頭上招呼下去。「瞧瞧你下針是在下什麼?!戳死豬肉也不是這樣戳的！有什麼仇隙，出了門再去報！你到底是要醫他還是要害他啊？」

一把奪過金針，她生氣的爲那人診了脈，「這種脈象是能下針的嗎？你當針灸無病不醫啊？我開了藥方，給我細細參詳去。等等我再來問你這藥方何以如此開！」

過沒一會兒，她又瞪著那雙慵懶的丹鳳眼開罵了，「柳師爺！你好歹是中過秀才的人，醫書多少也翻一翻啊！這傷分明是失血虛弱，氣行不足，你反而給他降火去盛，是怎樣？我這是醫館，不是殺人的地方！」

痛痛快快的罵了一圈，她氣得猛搖羅扇。眞是……這些土匪師爺們好歹也念過幾年書，怎麼教也教不會，這話傳出去，說她鬼醫的徒兒都是醫人成鬼的，這能聽嗎?!

「王五，把牌子掛出去。」她氣總算平了些，冷冷的吩咐。

「牌子？」王五愣了愣。

「『入我鬼醫門，恩怨擺兩旁』的牌子！」她坐到簾後略作歇息，「我不掛牌行醫，難道要看著這群不爭氣的徒兒砸我招牌嗎？」

鬼醫……終究還是回來了。王五感動的吸了吸鼻子，吆喝著：「把牌子掛起來！鬼醫老人家回來駐診啦！」

看著底下的人笑逐顏開，麗郭心裡卻是有些茫然。有什麼好高興的呢？天下大夫多得很，又不欠她這一個。

她又兇，收的診金又高得嚇人，從來不給好臉色，而這些刀頭舔血的漢子卻硬留了個上位給她。

只不過，她說的和心裡想的卻是兩樣，「你們少打打殺殺的，老讓我醫到腰痠背疼！哪個病症比較急的？先送上來！」

鬼醫重新駐診，在暗黑武林算是大事一樁。

要知道，他們這群凶神惡煞連尋常大夫都不太肯醫治，就算看了病也不見得會好。表面上看起來，開山立寨，攔路做買賣，雖然威風凜凜，但是誰沒個三災九病，更別提江湖仇殺的大傷小創，而也就這麼一個鬼醫肯公平點對待他們。

這也是爲啥鬼醫的診金貴到讓人眼珠子差點掉出來，病人還是絡繹不絕的緣故。

這日，正當夏末，雖然快秋天了，還是熱得緊。幾個倉皇上山的江湖人帶著個奄奄一息的病患，衝進了鬼醫館，二話不說，就只是磕頭。

眾人看了那個渾身綠油油的病患，不由得倒抽了一口冷氣，連麗郭都忍不住皺了眉。

王五低聲對著簾後的麗郭說：「鬼醫大人，這人……小的打發了可好？」

「說那什麼話，咱們這兒可是醫館。」麗郭瞪了他一眼。

「是是是，」王五唯唯諾諾的，「但……但這人中的是毒仙的毒……」他忍不住打了個寒顫。

就算是剛出江湖的菜鳥，也深知毒仙的厲害。誰也不知道毒仙多大年紀，只知道她貌美若牡丹，身材窈窕，面目嬌嫩，未語先笑，她若稱武林第二美女，沒人敢稱第一。

但是，她不僅僅是以美貌獨步武林，一手施毒之術更是令人聞風喪膽，且喜怒無常，正邪不分，只要惹到她，簡直像是惹了附骨毒蛆。中了她的毒，哪個大夫若敢醫治，當眞是滿門抄斬，連家裡的阿貓阿狗都一併毒死個乾乾淨淨。

「毒仙又怎麼了？」麗郭冷冷的回一句，「大夫治病人，天經地義。」她吩咐手下將病患抬上來，「若是毒仙尋來就由得她進來，別弄更多病人累死我。」

她氣定神閒的看診，醫館內的其他人倒是戒備了起來。

這毒仙橫行江湖數十載，黑白兩道都對她束手無策，只有鬼醫偏偏不買她的帳，看來一場腥風血雨是少不了的了。各幫各寨忙著傳喚人馬，將鬼醫館守備得像個鐵桶似的。

在這風聲鶴唳的時刻，鬼醫館所在的碧翠山來了一個不速之客。

他騎在一匹大黃馬上，滿身的風塵僕僕，卻掩不住錚然的氣勢。嚴峻的面容像是刀子刻出來似的，魁梧威武的身材和通身的氣派，像是他穿的不是破舊的披風，而是隆重的皇袍。

「敢問……這兒是鬼醫館入口嗎？」他低沉的嗓音頗富磁性，讓人聽了打從心底敬服。

守山人呆了呆，不由自主的回答，「是，沿著路走就是鬼醫館……」他突然想起自己的職責，「來者何人?!先報上名來！」

魁梧的漢子笑了笑，原本的嚴峻像是雲破月出，換上了說不出的和煦神色，「我叫烏紇，是塞北馬賊……來求醫的。」他說話有些口音，卻不妨礙那好聽的聲音。

盤問了好一會兒，和烏紇同行的馬賊都有點不耐煩了，烏紇卻好脾氣的一一回答。

守山人問到滿意了，才嘆了口氣，「對不住了，朋友，實在是最近有人要來踢館，咱們得小心點不可。你先瞧清楚這入山的牌子，入了這山門，可就得將恩怨放兩旁了。這是鬼醫的地盤，不容撒野的。請了。」

看起來……鬼醫很得人心哪。烏紇策馬前行，耐人尋味的發現五步一崗、十步一哨，如臨大敵似的。

尋常江湖人要在這兒興風作浪，恐怕也難以全身而退吧？

他微笑著策馬入山，打算先看看情形再說。

只是，當他看到鬼醫的時候，不由得愣住了。

雖然隔著簾子，但他又不是瞎了，怎麼看也知道對方是個俏麗姑娘，哪有什麼鬼醫呢？

「請問鬼醫老人家在否？」他很有禮貌的問。

正忙著把脈的姑娘抬頭看了他一眼，「我就是。若要看診，請先去領掛號牌，我手上還有五個病人沒看完呢。」

這……這位看起來還沒及笄的姑娘，居然就是大名鼎鼎的「鬼醫死要錢」？

要說不信，可瞧她身邊的人那恭謹到卑微的態度，又由不得他不信。

不過，同行的夥伴可就沒他這樣睿智了。

「喂！婆娘兒，妳要我們嗎?!」同行的馬賊眼若銅鈴的罵出聲來，「老子千里迢迢來給他錢賺，鬼醫弄個女人唬我們？叫那個什麼鬼醫的滾出來，省得大爺動刀子！」

麗郭只是不耐的看了眼拔刀的馬賊，依舊低頭把脈。

在大廳的其他人，只要站得起來的全都亮出了兵器，一時之間，刀劍森然，各式各樣長兵短刀、獨門暗器、袖箭奇武，蔚爲奇觀。

烏紇按了按目瞪口呆的馬賊同伴，溫和的笑了笑，「我這手下不知禮數，冒犯了。鬼醫大人，烏紇在此道個歉，驚擾了各位的安寧，也一併回個不是。」

「好了，」疲倦不已的麗郭揮揮手，「收起來收起來，拔刀動槍的是要幹嘛？

這位壯士，何人求醫？」他看起來應該是初次來的，算了，她忙個半死，沒空生氣。

「是我義父。」烏紇好脾氣的回答。

麗郭逐一往他的同伴看了過去，年紀沒有大到能當他義父的人。「……人呢？」

「在賀蘭山。」他回答得很自然。

麗郭定定的看了他好一會兒，「壯士，我沒工夫開玩笑。」

烏紇笑了笑，「鬼醫大人，我也沒那時間開玩笑。」他語氣轉爲懇切，「家父命在旦夕，若沒有鬼醫妙手回春，恐怕難逃一劫……」

這人說話文謅謅的，跟尋常土匪不同，但那蠻橫的語氣，一聽就是土匪。

賀蘭山！他到底知不知道賀蘭山在哪兒啊？離濟南不是千山萬水而已哪！那可是得往絲路去的，還得橫越沙漠……何只千里之遙！

「若眞命在旦夕，恐怕我趕不趕去都沒有差別了。」麗郭無奈的攤攤手，「你若帶了人來，我還可醫治醫治。要我出診？你也看看我有多少病人——」

觸及他的眼神，麗郭不禁一凜。這人的眼神堅定得像岩石一般，還帶著冰冷的殺氣。

仔細端詳他的相貌，麗郭不禁倒抽了口冷氣。乖乖……她敢拿她那精通面相的外公起誓，這面相、這根骨，非帝即王，甚至是打天下的開基之相！她手心幾乎沁出一把汗，臉上倒是一點異狀也沒有。

「就算一個病人也沒有，我也不去賀蘭山。」她從容慵懶的一笑，只是語氣和緩多了，「我這人好逸惡勞，千里跋涉是萬萬不幹的。這樣吧，你回去將令尊帶來，只要在鬼醫館，我一定治。」

「若是可以帶來的話——」烏紇還想說什麼，這時卻破門飛進來一個大漢，硬生生打斷了他的話。

只見那大漢渾身碧綠，不斷輕顫，卻是動彈不得。接著是第二個、第三個……瞬間在大廳疊成一座人體小山。

麗郭皺了眉，「你們到底有沒有聽進我的交代？若是毒仙要來，就讓她進來吧，非得再增加我的工作量不可嗎?!」

一陣嬌笑傳了進來，夾帶著馥郁的香氣，「鬼醫妹子，妳好有膽識啊……殺了妳，真有些可惜呢。」

只見一位絕代佳麗走了進來，穿著薄薄的輕紗，只在重要部位掛了些沉重的珠鍊，每走一步路，腳上的鈴鐺就好聽的響起，雪白的赤足像是考驗每個男人的定力似的，誘人的踏在粗糙的石板地上。

但是，滿廳的人都齊齊低了頭，不敢多看。

忙了一天的麗郭，支著頤看向這位艷若桃李的大美人。

「怎麼？怕得說不出話來？」毒仙媚眼如絲，吐氣如蘭，抬手就要撩開珠簾。

幾個硬著頭皮想上前阻止她的人都莫名的腿軟，全身上下瞬間變得綠油油的，倒在地上輕顫。

「我是滿怕的……」麗郭輕輕嘆口氣，「毒仙姑娘，我很忙的。」

「哦?」毒仙對她的泰然自若有些忌憚。

「所以……」麗郭展了展羅扇,慵懶的遮住嘴,「妳穿這麼少,萬一傷風了,我可是會更忙的。妳說,我能不怕嗎?」

毒仙嬌艷的臉孔馬上變得猙獰。「妳敢小看我?!」她纖長的指甲一揮,像是利爪般就要撕開麗郭的喉嚨……

第二章

大難將至，麗郭卻動也沒動，只是嬌懶的支著頤，朝毒仙嫵媚一笑。

毒仙尖銳的指甲離她的脖子僅僅一指之遙，可一看到她的笑容，不知怎麼地，也跟著恍惚的一笑。

這一笑可就不得了，毒仙驚覺不對，想要收斂心神，卻覺得體內空盪盪的，眞氣居然凝聚不起來，凝聚不起來也就算了，越來越想笑才是大問題！

「我說毒仙姊姊……」麗郭笑意更深了一些。

她也才說這幾個字，毒仙卻像是聽到了什麼大笑話，馬上爆笑起來，發軟的指著她，「妳……妳……」

「是不是覺得很好笑啊？」麗郭保持著笑意，只是摻入了一些些邪氣。

聽到「笑」這個字，毒仙再也克制不住，狂笑到花枝亂顫，腳步虛浮起來。不管麗郭說了什麼，只要一開口，毒仙就大笑特笑，笑到掉眼淚，笑到捶胸頓足，猛捶地板，笑到在地上打滾……

眾人都呆住了，不知道麗郭說了什麼這麼好笑，只見毒仙滾來滾去的狂笑。剛開始，大家還讓毒仙的笑聲感染了，雖然情勢這麼兇險，卻也跟著嘴角微彎；但是到後來……毒仙笑到已經有了嗚咽聲，卻還是停不住。

嗚咽成了嚎啕，但毒仙還是停不住笑聲。這種景象實在詭異萬分，整個大廳靜悄悄的，只有幾個中毒的人發出呻吟聲。

「就說了，赤血蠍毒不是好玩的。」麗郭氣定神閒的搖著羅扇，只是她一開口，又引得虛脫無力的毒仙狂笑起來。「無形蠍掌易學難工，先要茹素，又得時時吸食生血，難練又容易破。毒仙姊姊，妳學了這個不入流的毒學，是先輩懶得理妳，不然還輪得到小妹出手嗎？」

笑得差點斷氣的毒仙喘著說，「妳、妳這個歹毒的女人！」

使毒的說人歹毒，眞是了不起的強詞奪理。

「噯，我可沒出手呢，只不過是燃著雪蓮香，小妹拿來去異味的，哪知道姊姊這麼急著衝進簾內，小妹來不及收拾。要是知道姊姊這麼想跟小妹熟絡，我早就將雪蓮香收起來……姊姊，我看妳笑得挺暢快的呢。」

聽到了這個「笑」字，好不容易喘口氣的毒仙，又不由自主的大笑特笑。

須知萬物相生相剋，雪蓮性平無毒，和千年雪蓮不同，原是極平常的民間草藥，主消壅去腫，若和檀香結合，點燃可使人心平氣和，消除異味。然而，鬼醫的雪蓮香豈是凡品，正是她親手九蒸九曬，又和了上好紫檀所製，恰恰是赤血蠍毒的剋星。

「姊姊，妳所練的無形蠍掌，透過全身毛孔溢出劇毒，連出招都不用，靠近一些就能讓人中毒麻痺倒地，憑了這手，妳便所向無敵，只可惜……平平常常的雪蓮香就能中和蠍毒。還不只是這樣呢，妳可知雪蓮香和赤血蠍毒恰恰是極歡散的主要成分？

「中了極歡散，會使人大笑不能停止。原本妳百毒不侵，區區極歡散是不瞧在眼底的，偏偏妳行功的時候，全身毛孔全開，加速了極歡散在體內運行。欸，姊姊，妳怎麼笑著笑著就哭了呢？還哭得頗淒慘，小妹聽了好心疼呢……」

夠狠辣！夠陰毒！在場的人渾身發冷起來。千惹萬惹，可別惹到媚笑如絲的鬼醫身上啊！整個大廳的人個個面帶深懼，趕緊低頭思索有沒有哪裡得罪了鬼醫老人家。

高招！烏紇在一旁冷眼觀看，不禁暗暗佩服。兵不血刃，一指不動，就讓江湖上令人聞風喪膽的毒仙一敗塗地。鬼醫對毒與藥的瞭解，簡直是分釐不差；遇難不亂，沉著自若，頗有一代名醫的氣度。這小小年紀的姑娘，莫怪可以讓眾草莽豪傑屈膝伏首。

「我可是壞了姊姊的事了。」麗郭捶了捶肩，慵懶的靠在扶手上，「這消息傳出去，可不是家家戶戶都要焚雪蓮香了？咱們知道也就罷了，若讓姊姊的仇家知道……這不是害了姊姊一條命嗎？」

笑到滿臉眼淚、鼻涕的毒仙嗚咽著，抬起頭可憐兮兮的求饒，「鬼醫大人，救命，救命啊～～」

「嗳，姊姊別擔憂，一個時辰過了，雪蓮香就散了。」麗郭神情自若的叫來王五，「叫小婢找條錦被來，將毒仙姊姊裹實了，抬到山門外吧。入我鬼醫門，恩怨擺兩旁，可不准在我的地方尋仇隙。聽著，別看人家姑娘美貌，便對人家動手動腳，若讓我知道了……」她極媚的笑了笑，卻笑得滿廳的人直打冷顫。

「鬼醫大人～～鬼醫大人～～」仍然笑個不停的毒仙發著抖，「您這不是讓我去死嗎？我出了山門還有活路嗎？鬼醫大人，您發發慈悲啊～～」

「慈悲是什麼？一斤多少？」麗郭慢條斯理的端起茶，喝了一口，「各人造業各人擔。姊姊，妳別這麼怕，說不定妳的仇人沒那麼多呢。」轉而向王五嬌喝：「還不抬走？知不知道我後頭還有多少病人要看？就跟你們說了，別增加我的工作量！現在又躺下一群人了，教我如何是好啊？存心累死我這柔弱姑娘就是了！」

毒仙一路慘叫著，讓人裹在錦被裡抬了出去。

麗郭扶了扶頭上的翠釵。哼，要她發慈悲？讓她增加這麼多工作量，她還發個鬼慈悲！

正要開始看病人時，堂下卻跪了幾個粗豪大漢，哽咽地不停磕頭，「鬼醫大人……我們大當家到三當家都讓這毒女給害了，謝謝您替我們報了這血海深仇……」

麗郭嘆了口氣，「誰替你們報什麼仇來著？眞要謝我，就別三天兩頭送快死的人過來，累死我這弱質女流！眼睛不亂往人家毒仙身上飄去，會惹來殺身之禍嗎？人外有人，天外有天，仗著幾分力氣、幾招破武功，就以爲可以當人上人了嗎？自己仔細想想去！當大夫當到得傳道授業，我是什麼命啊我……」

烏紇忍俊不住，低頭摸了摸鼻子。這姑娘……又嗆又辣，還眞對了他的胃口。來到中原以後，觸目所見的中原婦女皆是軟弱無趣之流，原以爲中原女子不過如此……

見了她，他才知道自己錯得有多麼離譜。

好不容易醫完了滿廳的人，麗郭嘆了口氣，懶懶地站了起來，幾個寨主的女兒、夫人連忙趨前扶著她，知道鬼醫要巡房去了。

說囂張，麗郭也眞是囂張極了。對著人人敬畏的黑道頭兒就敢豎起秀眉責斥，連人家的夫人、女兒自願來當隨侍，也很大方的收了下來，一點都不客氣。她性本嬌懶，連多走幾步都嫌累，非得有人扶著攙著，才心不甘、情不願地逐房巡查病人。

觀察了麗郭數日，烏紇只覺得她越來越有趣。

當眞嫌累，就算她要離開鬼醫館，或是鬧脾氣摘下牌子不看病了，可有誰敢多吭一聲？她裝也是裝得夠兇狠了，只不過，哪個病人她不是細細推敲、認眞察看，眞的危急時，又衣不解帶的看顧到天亮？

罵人罵得這麼兇惡，大概是怕人看出她心腸其實非常軟、非常善良吧？

望著她唉聲嘆氣的嫌路遠、嫌病人多，一路慢吞吞的走向病房，烏紇唇角噙了抹很淡很淡的微笑。

「少主……」同行的馬賊低聲道，「主人的病不能再耽擱了。既然鬼醫手段實在，還是趕緊請她隨我們回去吧。」

「你看她像是願意走的樣子嗎？」烏紇淡淡的反問。

「格老子的，她不願意走，老子綁著她走！」第一次見面就拔刀的大鬍子馬賊跳了起來。

「李二，你這脾氣要改改，這麼沉不住氣？」烏紇冷冷的看了他一眼，「我們可是在她的老窩，我們多少人，她有多少人？你有毒仙的手段嗎？毒仙都讓她兵不血刃的抬了出去，你認爲我們近得了她的身？」

李二被烏紇這麼一堵，狼狽的低下頭，一個字也不敢多說。

「少主……」

「我自有打算。」烏紇笑了笑，方才收到了飛鴿傳書，內容滿令他意外的。原本他就不只找鬼醫這麼一個大夫，卻沒有想到鬼醫和神醫的淵源如此之深。

虎父無犬女。他心裡暗想。

「明日我們就出碧翠山。」他神色自若的吩咐，頓了頓，不禁有些留戀，「你們先下去休息吧，明日要幹的活可多了。」

他信步往前，決定要先去看看麗郭再走。

麗郭好不容易巡完了病人，累得直哼聲的走回自己閨房，一抬眼，那個二愣子竟傻不隆冬的倚著她的房門笑，她不禁覺得有些悲慘。

就說了，她死活都不離開鬼醫館，連逛逛碧翠山她都嫌累，要馬要轎的上賀蘭山，還不如把她殺了裝箱載去。

「……壯士，我不去賀蘭山。」她累了一天，口氣實在好不起來。不過她閱人無數，什麼人能踹，什麼人不能踩，她是很明白的。

眼前這個總是含笑的男人太危險了，最好是連碰也別碰一下。

「我叫烏紇。」烏紇心平氣和的說了第二十七次自己的名字。

唉……「烏壯士……不不不，我是說烏壯士。」就算心裡這樣叫，也別累過頭的說出口。「求你饒了我這婦道人家吧。千山萬水的，就算到了賀蘭山，令尊還活蹦亂跳，小女子我也香消玉殞了，損人不利己，何苦呢？」

「鬼醫大人，我明白了。」他很理性的點點頭，「我另尋名醫就是。只是千里相隔，我實在擔心家父，聽聞鬼醫大人醫卜雙絕，能不能為我算算家父的吉凶？」

是哪個爛舌頭的笨蛋告訴他的？麗郭沒好氣的搧著羅扇。也罷，若是卜個卦就能教這傢伙死心離去，總比讓他這樣陰魂不散的糾纏好。

阿彌陀佛，她不想跟這個身有帝骨的反叛份子有瓜葛啊。

問了他義父的生辰，麗郭手指飛快的掐算，「……此人忠肝義膽，萬里救孤雛，意若鐵石堅，心有菩提意，一生坦蕩，家有餘慶。此災雖屬陷亡，似無回生之力……無子宮卻有子意，終將得乾貴而化凶趨吉。此災只險在立冬，熬過立冬，將有生機。」

算完，麗郭不禁對這個未曾謀面的烏父有些好感。難得這樣渾沌世間，還有這樣的好男兒。

烏紇一句話也沒說，只是牢牢看著她認眞而專注的臉龐。或許是太認眞了，所以頰上湧現兩抹淡淡的霞暈，分外的誘人。

「鬼醫大人不會是爲了安烏某的心吧？」他的嗓音更低沉了點，更富磁性了。

「卜算乃是天機所在，豈可兒戲？」麗郭有些不高興。呿，好個英雄豪傑的老爹，卻養了個禍根子。

這人面相根骨皆屬帝相，若是亂世便罷，這太平盛世的，禍亂非由他起不可。養了這個義子，這位烏老英雄根本是給自己找麻煩！

不過這也不關她的事情，禍福自有天定，她能裝聾作啞當瞎子就當吧，別妄想逆天。

她只是個柔弱的女流之輩呀！

烏紇見她似有躲避之意，老想往屋裡鑽，也不想強留——反正將來強留的日子多得是。

「謝鬼醫大人指點。夜已中天了，也請回房安歇吧，烏某告辭。」

去去去，快點走……麗郭一進房就趕緊撒鹽撒米，巴不得這個禍頭子走得越遠越好。

第二天，麗郭很高興烏紇這個禍頭子眞的離開了，不禁大大的鬆了口氣。

但是她輕鬆沒有多久，另一個消息差點讓她癱軟。

她的爹親林神醫雙無先生，居然在西南病倒了！

這消息讓向來泰然自若的她嚇得面無人色，怔怔的看著來報訊的小廝，奪了家書看了又看。

父親這信……這信……分明是在交代後事了！

就算天塌了，也沒比這事更重要的！

她一咬牙，「王五，我顧不得你們了。讓各寨的師爺參謀留下來駐診，我這可就要去西南了。」

「鬼醫大人！」王五也跟著慌得不得了，「我派幾個高手陪您去……千萬別推辭！咱兄弟都是您救的命，這一路到西南路程可不算短，有人打點我們才安心哪！小三，快去差人馬開道，鬼醫大人要往西南去啦！路上的黑白兩道先打點好哪！」

麗郭急得眼淚狂掉，一句話也說不出，只用羅扇掩臉，「王五……勞煩你了。」

一路上浩浩蕩蕩而行，她也不喊累，也沒叫苦，嬌滴滴的鬼醫就這樣在一票暗黑武林高手的簇擁下，直奔西南而去。

另一方面，烏紇比麗郭還先一步得到消息，早就已經埋伏在半路了。若論人數，烏紇的人馬不如麗郭，但他對自己的人馬有信心。

一對一硬碰，或許武藝上遜於這些暗黑武林的高手。但是論行馬打仗，這些高手合起來也打不過他的精銳人馬。

悄然無聲的埋伏在隘道，眼看麗郭的人馬漸漸接近，他抬起手，準備一聲令下時，卻瞧見平日連走路都嫌累的麗郭，優雅的騎在馬上，堅毅的跟著馬隊走，只是不斷的拭淚。

那淚，非常沉重——她這樣憂心，只為了千里救病篤的父親。

「少主？」見烏紇遲遲沒有動作，一旁的護衛不解的低喚一聲。鬼醫的人馬就要過去了啊。

烏紇握拳，示意全隊待命，讓麗郭過去。「現在抓了她，她也不會好好的替父親看病的。」他像是在解釋什麼，「讓她去……她總是會回來的。」

「主人的病不能耽擱……」不敢違抗他的命令，護衛只敢提點他。

「立冬前無礙。」烏紇深深吸了口氣，「待她一出西南大營，立刻劫人。」

憂心忡忡的麗郭，完全不知道她暫時逃過一劫，只是不斷的驅馬前行，希望早一刻見到爹親……

「妳來做什麼?!一個姑娘家不守閨箴，千里迢迢跑來這樣的蠻荒！爲父到底是怎麼教妳的？妳的女誡唸到哪兒去了？天啊，我林家以詩書傳家，怎麼養出這樣一個拋頭露面的女兒，我有何顏面見列祖列宗……」林雙無才睜開眼睛，馬上上氣不接下氣的數落女兒。

一旁垂手肅立的高手們互看了一眼，低著頭，拚命掐大腿、握拳頭，就怕自己不小心笑出來。

果然是父女，教訓人的口吻一模一樣，那種死硬脾氣也一模一樣……

「爹，」幾天來，衣不解帶照顧昏迷父親的麗郭撇撇嘴，「您好不好省點力氣養病？待您好了再唸不成嗎？好不容易女兒將您從鬼門關拉了出來——」

「現在不唸是什麼時候唸?!」林雙無不知道哪來的力氣，硬撐著坐起來，顫著手開始猛唸，「就算病死了，也比女兒拋頭露面的好！大丈夫生於世，當馬革裹屍、鞠躬盡瘁，死而後已！妳妨礙了我的志願不說，還讓林家列祖列宗蒙羞！妳也不想想這一路多少豺狼虎豹，妳一個姑娘家……」

高手們眼神開始往旁邊飄，憋笑憋得簡直要內傷。嘻嘻，這口吻根本和鬼醫大人一模一樣，關心就關心，說出來會削了面子嗎？非東拉西扯的亂罵一通，重點也就只是擔心而已嘛……

嘻嘻嘻……

「妳就跟這群不莊重的家丁來?!」林雙無狐疑的看著偷笑不已的高手們，怎麼看就怎麼懷疑。「這些人都面生得緊，似非善類，妳到哪兒找來這些——」

幾天沒闔眼的麗郭終於舉起雙手投降了，「爹啊！您唸夠了沒？好不好等我睡飽了再唸？」她簡直是哀求了。

「睡?!妳敢給我在滿是男人的軍營裡睡?!」林雙無聲如洪鐘，一點也看不出是大病初癒的病人。「妳馬上給我滾回濟南！」

連睡也不給人睡，到底有沒有人性啊？

「爹……您才剛脫離險境，也讓女兒多看顧幾日——」

「又不是沒有其他軍醫，需要妳這姑娘家多事嗎?!」

要是那些廢柴軍醫有用，她哪需要千里疾行的趕來？麗郭抬頭，眞的是無語問蒼天。

爲了不讓老父熱病才痊癒，又氣得中風，麗郭欲哭無淚的留下了藥方，灰頭土臉的離開了西南大寨。

仰望路途漫漫，她又累得幾乎陣亡，要不是身邊有人，她得硬撐下去，不然眞想放聲大哭。「……我不要再騎馬了。」嗚……她的屁股顚得好疼啊。

「鬼醫大人，這不勞您操心。」高手們看她神情慘澹，連忙安慰她，「我們已經僱好了船，順流而下呢，剛好可以讓您睡到金陵。回濟南的路上，就邊走邊玩，若是有朋友、親戚什麼的，還可以探望探望，鬆散一下精神，如何？一堆拜帖小的還幫您收著呢，大家就巴望著您去作客……」

麗郭這才含著淚上了船。同行的兩個寨主夫人趕緊上前服侍，又是捶背又是捏腿，看她睡熟了才安心下來。

王夫人撩了簾子出來，「這一路上都打點好了？」

「打點好了。」高手們信心滿滿，「放心吧，哪個水底毛賊跟天借膽，敢來騷擾鬼醫的船？放心吧。」

可惜，千算萬算，也沒算到烏紇一行人是膽大包天的馬賊，不是毛賊。

聽到含含糊糊的叫嚷聲，麗郭驚醒了。

正當十五月圓，裡外通亮。她斜倚著床舖，聆聽動靜，直到一個熟悉的聲音傳了過來。

是烏紇？

打了個呵欠，她有些不耐煩。又不是沒見過她整治人的手段，連毒仙都慘敗在她手底，何況區區一個馬賊？這烏壯士實在太不死心了。

雖然說，她爲了不讓父親起疑，隨身並沒有帶太多毒，但是要打發些馬賊，連手指都不用動——而她眞的累得連頭髮都不想動了。

簾子一掀，果然是烏紇那張含笑的臉。

她懶洋洋的覷了他一眼。千日醉應該揮發了吧？不出三步，他就該躺下了……

一步，兩步，三步，烏紇停了下來，依舊滿臉笑意的看著她，而她也靜靜的回望，不動聲色。

他走了第四步。

不對！麗郭伸手入袖，迅如疾雷的射出一把銀針。或許她貪懶不愛練武，但是這手銀針認穴卻練得出神入化，連爹爹都躲不過。

但是，烏紇卻挺著受了針，繼續勇猛的撲過來。麗郭連忙滾開，又要擲出一把銀針，卻已經被他制住。

這……這怎麼可能？麗郭的訝異大於恐懼，她向來自信滿滿，機關算盡，今天居然陰溝裡翻船！「你何以未中千日醉？」她實在難以置信。

烏紇將她抱了個滿懷，眼神狡黠，「有毒的花兒，得戴著手套採。」他亮了亮懸在胸口的錦囊。

這異香是……「朱蟾？碧眼朱蟾？」可以解百毒的碧眼朱蟾！「你哪來的這個?!普天之下，也只有少林寺藏經閣有這麼一隻……」她張大嘴，呆掉了。「你到底是誰？」

烏紇將她抱緊一點，笑得頗有邪氣，「我是馬賊烏紇，不過……我又不只是馬賊而已，我是——」

「不不不，你不要告訴我！」麗郭叫了起來。天啊，她只是個平凡的、連花都繡不好的小女子，她什麼古怪來路都不想知道，只想當一輩子的鬼醫啊！尤其是這個身有帝骨的禍根，她啥都不想知道！

「不過就是醫你老爹嘛！你不要這樣抱著我！男女授受不親，你知不知道啊?!就算是馬賊也該知道吧？我跟你去賀蘭山醫好你老爹，這樣總可以了吧？放開我！」

烏紇封住了她的穴道，這才發現她的武藝並不高，但是銀針認穴倒是準得很。

若不是這身軟金甲，躺下的人大概……會是他。

烏紇豪邁的大笑，「賀蘭山美得很，說不定妳不想走呢。」

「烏大俠……不不不，我是說烏大俠。」麗郭狼狽的爬離他的懷抱，心裡開始問候他祖宗十八代。「我很戀家的，正事辦完就會告辭了……我想烏大俠不會爲難我這小女子吧？」

「但我不是大俠，是馬賊呢。」他靠近麗郭的臉，她嚇得整個人往後貼在牆上。「以後妳會更瞭解我的。」摸了摸她的臉蛋，他大踏步的走了出去。

該死的馬賊！敢輕薄她?!麗郭氣得往懷裡一掏，卻發現她身上的瓶瓶罐罐全無影無蹤了。

「你根本不是馬賊！你是小偷！」她怒吼出來，「該死的小偷！將來不要落到我手上，就算你爛到穿骨，我也不會救你的！死小偷！」

這大概是麗郭行走江湖以來，最最慘敗的一次了。

第三章

初見面，烏紇就送了一份「大禮」給麗郭。

那是一個非常美麗的纓絡圈。良匠將堅比銅鐵的烏紫金仔細燒成絲，用織絲法編造而成，比起尋常烏紫金還堅固千百倍，不但如此，還在上面綴以無數珍珠，正中央還有顆鴿卵大小的貓眼石，價値連城。

唐女尚輕裝，雖然麗郭生在書香世家，服飾比別的姑娘樸素許多，不至於東露西露的，但仍露出整個雪白的脖子，和一小塊吹彈可破的嬌嫩前胸。戴上這個沉重富麗的纓絡圈，不顯遲滯，襯著滑潤如玉的肌膚，反而有種嬌弱猶憐的楚楚感。

是啊，眞是個貴重而美麗的首飾——如果這纓絡圈不是鍊著紫金鍊，將她銬在牆上動彈不得，她搞不好也會喜歡的。

但是……那個該死的馬賊居然將她像畜生一樣銬在牆上！她欸！一代「鬼醫死要錢」欸！

那個天殺的馬賊！

麗郭氣得雙目赤紅，巴不得撲上去咬斷那王八蛋的脖子。

被捆了一地的隨行高手們無奈的互望。就是打點得太順利，反而鬆於戒備，讓這批馬賊得手。

看鬼醫大人這麼生氣，他們只能羞愧的安慰她：「鬼醫大人，其實這個纓絡圈戴在您老人家的身上，還挺漂亮的……」

「麻煩你們閉嘴好嗎？」麗郭惡狠狠的瞪了他們一眼，不太舒服的挪了挪挺鬆的纓絡圈。

鬆是滿鬆的，但是這纓絡圈有個該死的鎖，除非有鑰匙，或者把拴著鍊子的船樑拆下來。

當然，更簡單的方法是——把她的頭剁下來，就可以拿下這個纓絡圈了。

呿！這個殺千刀的馬賊！

「鬼醫大人，您且慢生氣……」王夫人低聲勸著，「您再忍耐一會兒，我就快解開這繩子了。」她滿頭大汗的卸自己的手指關節。

王夫人出嫁前乃是千里無蹤的飛賊，這等脫困小事原本難不倒她，但這票馬賊也不是省油的燈，捆綁人格外有心得，不但是用噴過水的牛筋，一旦乾透了，根本無縫可循，又將人的大拇指兩兩對綁，就算是脫逃有術的飛賊也束手無策。

但是，他們沒算到王夫人有一身絕佳的小巧功夫，居然可以自卸關節，一點一點的緩緩解開繩子。

「妳別弄傷了自己的手！」麗郭擰起秀眉，「跟妳說過這等功夫不學也罷！傷得多了，妳的手可就廢了……妳嫌我工作不夠多是不是？」

喘著氣，王夫人忍痛解開繩子，一張秀顏冷汗涔涔，咬牙地接上關節，「夫君將保護鬼醫大人的重擔交代給妾身，怎可不盡力？您且忍忍，我先幫大家解了繩子……」

又費力解開了一個人的繩子，她拔下細釵，試圖打開麗郭的纓絡圈。可等眾人都脫了困，她卻還打不開麗郭的鎖。

她不禁慌張起來。他們神偷趙家從來沒有打不開的鎖，難道是嫁人安逸了幾年，她連這等末技都忘光了？

麗郭料想她是打不開了，輕嘆一聲。「省省力氣吧，巧眉。」她喚著王夫人的閨名，「我們將這批馬賊想得太簡單了。他們連少林寺鎮寺之寶碧眼朱蟾都弄得到，這纓絡圈也不知道出自哪個名匠之手……」她已然恢復冷靜，「有沒有人知道這批馬賊的來歷？」

眾人你看看我、我看看你，最後還是忙著開鎖的王夫人答話了，「鬼醫大人，我聽我夫君說，這些馬賊盤據絲路，和中原武林少有接觸，成員多半是異族人，聽說是匈奴後裔。本來跟我們井水不犯河水，實在不知道為什麼硬到中原找麻煩……」

麗郭頭疼起來，「崑崙派在西域，跟他們有無交情？」若說他們肯買崑崙派的帳，她倒是有些小人情可以討。

「這批馬賊自稱『烏家堡』，不要說中原武林，就算是西域也不買任何人的帳。他們處事神神祕祕的，不過做買賣倒是挺有規矩。」王夫人偏頭想了想，「不少過絲路的商隊都自動獻金給烏家堡，只要掛烏家堡的旗，通常可以一路平安。」

眞慘！是自給自足的馬賊幫派。若不是很有實力，也不敢這麼特立獨行。

王夫人垂下手，差點哭了出來，「……這鎖，我打不開。」

隨侍的高手們急了，若是神偷趙家的翹楚都打不開這鎖，他們哪還有什麼希望？

扯了扯牢牢鍊在船樑上的烏金鍊，其中一人發狠了，「乾脆把船樑拆下來——」

「用用腦子吧！」麗郭不耐煩了，「你用什麼拆了這船樑？發掌打斷？先別提會弄出多大聲響，你也看看船沉不沉哪。」她低頭看看船樑，這可是船的龍骨的一部分。雖然她不諳造船，但也看過幾本船書，牽一髮而動全身，打斷了這根船樑，他們還來不及逃，大概船就沉了，這船裡有幾個諳水性的？

正要再開口，聽聞人聲傳來，她將食指放在唇上示警，眾人趕緊裝作被綁的模樣，依舊躺在船板上。

是契丹語？

她和王夫人交換了一個眼神，一起低下頭。

眾人中，也就只有她和王夫人聽得懂契丹語。她的病人各色人種都有，又對語言有興趣；王夫人出身神偷趙家，所謂「賊相公、狀元才」，自幼教養甚嚴，各族語言皆通，自然識得。

「……少主，這些跟著鬼醫的隨從還是殺了的好。」馬賊之一進言，「留著費糧食，哪天讓他們逃了，可就後患無窮——」

「鬼醫厭惡殺生，真動了她手下的人，你認為她會乖乖替義父看病嗎？」烏紇語氣仍然淡淡的，「我們依舊順流而下，大河寬廣，我們的人比他們多得多，還怕制不住他們？」

「是。」馬賊似乎仍有些躊躇，卻不敢違抗少主的意思。「但是這船在爭鬥時略有損壞，得在金陵靠岸維修一番，不然很難撐到海口。」

「那就修吧。」烏紇頓了頓，「多派些人手看管。記得補充飲水和糧食，大約不出一旬就可出海了。海船可備妥了？我們一路要北上山、東登岸的……」

「一切都已備妥……」

說著，烏紇打開艙門，瞧見麗郭投來忿忿的一記白眼，他滿意的笑了。隨意的看看似無異狀的眾人，他依舊用契丹語跟隨從交談，「這鬼醫計謀百出，別讓她知道我們的計畫。傳令下去，不分人種，皆以契丹語交談，一點點線索也不能給她，明白嗎？」

「屬下明白。」

烏紇對著麗郭意味深長的笑笑，又將艙門關上。

聽他們的腳步聲遠了，王夫人這才大大的喘了口氣，將剛剛聽到的消息告知眾人。

麗郭帶著邪氣微微嬌笑。烏紇啊烏紇，你小看我鬼醫就是大錯特錯了。

「聽著，他們要在金陵靠岸，這可是唯一的機會了。」麗郭擺手，不想聽任何反對意見。「一靠岸，能溜就溜，不能溜，殺也殺出去！他們還要分派人馬去採買糧食飲水，守備再森嚴也有限，且又沒料到我們解了綁，正是攻其不意的好時候。」

「鬼醫大人，那您呢？」王夫人嚇得花容失色，「怎可將您撇在這兒——」

「留你們一大票在這兒當人質，我就算有機會跑也跑不了！」麗郭厲聲道，「你們統統上岸，再兵分數路差人來救我吧。不然等船出了海口，大海茫茫，你們往哪裡撈針去？」

王夫人滿臉是淚，「說什麼也不可以——」

「王夫人，這是最好的辦法了。」眾人商議後，也勉強同意，「現在不是逞強的時候。」

待眾人依計潛逃後，獨自被鍊在船艙的麗郭思前想後，內心總覺得有些不妥。是什麼地方不妥呢？她又說不出個所以然。

算算時刻，他們若是能逃出一半就算好的了，其他沒逃出的，應該也會被抓回來和她作伴，但是一個人也沒回來。

或者，烏家堡的馬賊心狠手辣，一逃就殺？這不可能，殺了人事情就鬧大了。跟來的這批高手都是暗黑武林的翹楚，前輩在大火中已經死了一批，暗黑武林再禁不起這樣的損傷，一旦又有人死，烏家堡再強悍，也抵擋不住尋仇的武林中人。這烏紇心機深沉，不至於這樣輕啓殺機。

難道全數平安逃走？有可能。只是，她一直沒聽到什麼騷動，平靜得讓人不安。

平靜？心機深沉的烏紇？

「啊呀，不好！」她猛然一拍腦袋，「中計了！」

「幸虧妳是現在才想到。」烏紇氣定神閒的倚在艙門，「讓妳早些想通，我還得多費手腳。」

「你壓根兒就沒打算走水路！」麗郭簡直氣炸了，「故意在我們面前說那些話，就是要誤導追兵……你怎麼知道我會契丹語？」

「誰說不走水路？」烏紇很愉快的回答，「烏家堡全走水路，就我們倆走旱路。妳問我怎麼知道的？我在妳鬼醫館那麼多天，可不是沒事閒晃的，裡裡外外我差不多都摸透了。」他搖著手指，「鬼醫大人，妳可沒啥能瞞得過我。」

「誰跟你『我們』?!」素來聰慧的麗郭被反將一軍，氣得渾身發抖，「你這賊頭！硬把我綁到賀蘭山又怎樣？橫豎我不醫罷了！我最恨別人逼迫我做這做那——」

「林麗郭，時年十七有餘，屬龍。」烏紇展開一張絹紙，「貌端麗而媚，心機百轉，現為『鬼醫死要錢』，以金針代諭令統領中原暗黑武林，甚得人心。性剛烈而實慈軟，不耐聞病苦聲，每戮力救治，常廢寢忘食……」

麗郭瞪大眼睛，「你……你……你買通了哪個包打聽？」該死的，哪個傢伙敢賣情報給他？讓她知道，非打斷那笨蛋的腿不可！

不對不對，她打架哪有贏過……毒他個半死不活好了，還是下蠱？哪種蠱比較慘又死不了呢？

「我也是有職業道德的。」烏紇懶洋洋的搖了搖絹紙，「嘖嘖，眞是貴。這麼小小一張，我花了千兩黃金，還得保這包打聽往高麗去……鬼醫大人，妳眞是跺地山鳴，嘯天雲退啊～～底下還有，要聽嗎？」他譏諷的挑了挑眉。

「我不要聽！」麗郭對著他嚷，「快把這該死的狗鍊解開！」

「這可不成。」烏紇嚴肅的搖搖頭，「鬼醫大人，妳武功不怎麼樣，詭計倒是一籮筐。這個纓絡圈可是我花大錢買的，不靠這個，我怎麼平安帶妳到賀蘭山？」

「你──」麗郭的眼珠子快掉出來了，「你打算這樣一路『牽』我到賀蘭山去？」天啊，若眞這樣，她還有臉做人嗎？「你這鳥人！這個姓還眞是合了你了！」

「我姓烏。雖然只差一畫，可是天差地遠哪。」瞧瞧，她氣得兩頰紅暈的模樣還真是可愛，讓他忍不住想逗她玩。

這時，麗郭突然非常非常懷念她的那些瓶瓶罐罐，若不是讓他摸了去，三步之內，準讓他七孔流血，暴斃身亡。但是，他戴著百毒之王碧眼朱蟾，什麼毒也沒用……她不禁氣餒。

咦？等等，他的碧眼朱蟾呢？烏紇身上那股異香不見了。

烏紇將捲在船檪上的紫金鍊放長些，讓她可以在艙房裡自在走動，卻走不出船艙。不過才一天沒洗澡，麗郭已經抱怨到服侍她的馬賊想撞牆了。這麼愛乾淨，去了塞外要怎麼辦才好？

「我等等差人送熱水來，妳可以沐浴。」他瞥見麗郭正盯著他空盪盪的胸口，「妳在找碧眼朱蟾？跟人家借的寶物，怎好一直拿著？我已經還了。如果妳要下毒，現在我倒是沒有防禦的……」他邪惡的一笑，「如果說，妳還拿得出毒的話。」

麗郭聞言大怒，旋即冷靜下來。她年紀尚幼就能周旋於眾惡人之中，能夠安然至今，除了出神入化的醫術，還有千迴百轉的心思與泰山崩於前不改其色的氣度。什麼時候可以踹，什麼時候不能踩，她很清楚。

「我的確拿不出毒來。」她冷冷的承認，「是，烏大爺，你贏了，我眼下的確沒有逃走的希望。那能不能讓我安心洗個澡？我已經一天一夜沒有沐浴了。」

麗郭坦承自己屈居下風，反而讓烏紇起了疑心。她真的沒毒可下？都已經搜光了她的藥瓶，莫非還有疏漏？

看他臉色陰晴不定，麗郭心裡大叫痛快。這個空城計唱下去，可讓烏紇成了多疑的曹操了。這麼一來，他應該沒有膽子靠她太近，畢竟他也親眼見到了毒仙的慘狀。

剛好這時婢女把熱水抬了進來，注滿了木桶。

麗郭恢復輕鬆慵懶的模樣，對著他極媚的一笑，「烏大爺，小女子要沐浴了，你不好在這兒吧？脖子上拴著狗鍊，我能跑到哪兒去呢？」

她這媚笑讓烏紇心裡的懷疑更添三分，原本要婢女留下來監視她洗澡的，卻又怕她使出什麼手段反制住婢女。

反正她是跑不了的。她不諳水性，這大江之上，她能跑哪兒去？隨侍她身邊的高手們自以爲逃脫成功，都已經上岸了。而金陵那些成氣候的幫派，又讓他買通官府給挑了，鬼醫的人馬要求援，得花時間往外鎮去。

仔細思量，他的計謀非常完美，鬼醫再厲害，也逃不出他的手掌心。

「也是。鬼醫大人請慢洗，小的就不打擾了。」他揚起自信的笑容，示意婢女退下，非常瀟灑的行個禮。

等他關上艙門，不知道是枕頭還是什麼，砰的一聲砸在門上，他臉上的笑意不禁擴大了些。

果然只是個小姑娘罷了，他這樣緊張兮兮，未免可笑。

麗郭冷冷的看著艙門，撲到窗邊，發現窗外有人站崗，她瞪了一眼，「偷看人洗澡，你也不怕眼睛腫嗎？」

她說的是流利的契丹語，監視的馬賊被她罵得臉孔通紅。早見識過這位姑娘潑辣的罵人，漢語就已經吃不消了，何況是他們的母語？「我、我……姑娘，我不敢偷看……」他連忙站遠一點，死死的盯著黑黝黝的江面。

這船窗小得連五歲孩童都鑽不過，想來她不至於從這兒逃走吧？

見監視的人沒注意，麗郭拿起油燈，心裡不斷祝禱，希望她那個在金陵教書的書呆二姊會瞧瞧江上的漁火。她到金陵書院做過幾天客，知道二姊讀書讀累了，有憑窗看漁火的習慣，看的正是金陵江河的船。

老天保佑，佛祖保佑……娘啊，您要保佑女兒脫困哪～～她不想跟那個身有帝骨的賊頭有瓜葛……他們一家大小平安與否都看這次了……

她們幼年時讓博學多聞的母親教養，聲韻算卜，無所不學。她那娘親頗有慧根，又有童心，因爲聲韻枯燥，還發明了一套燈火傳訊給女兒們玩耍。

只見麗郭的手飛快的擋了燈光又現燈光，瞬間閃爍不已。打了一會兒沒有回音，她焦急的一面攪水出聲，裝作在洗澡的樣子，一面拚命打燈傳訊。

直到她幾乎要絕望了，書院方向的燈光突然閃爍不已，只是訊息混亂。

這二姊！真是讀書讀壞腦子了！她幾乎跳腳，兒時慣玩的把戲，她卻打這什麼鬼?!唸幾年書都塞了沒用的東西，反而救命的玩意兒是一絲也不記得了！

「麗郭？妳遭匪劫？我讓小夏、小秋去尋妳！」一陣混亂後，書院的燈火傳來令人安慰的訊息。

「我的二姊，妳且別亂了套啊！」她飛快的打著燈號，「去尋麗剛來救我！別讓小夏、小秋來送死啊～～」

打了兩次，確定二姊看懂了，她趕緊停下，火速脫了衣服，跳進微溫的水裡。

「鬼醫大人……」遲疑的敲門聲響起。「您可是洗好了？」婢女在外面恭敬的問。

「快了。」麗郭牙齒微顫地趕緊洗好澡。「怎麼？洗多久也要管哪？」哆嗦著穿上衣服，這下恐怕會傷風——這也是她的目的之一。

走旱路是吧？她倒要看他拖個病人能走多遠。既然她送訊給二姊了，想來小妹沒多久就會到了。

世界上還有神隱要保保不住的人嗎？

她在心裡冷笑了一聲。鳥人，不到最後還不知道誰贏誰輸呢，別以爲你十拿九穩了，一個不穩，你就前功盡棄，到時換你拴著狗鍊叫汪汪！

哼！

第四章

這夏末的清晨，秦淮河微冷，廣闊的江面一片朦朧。

麗郭無精打采的讓婢女拖起來梳妝打扮，有些頭昏腦脹的。江上夜冷，她洗的冷水澡起了作用，果然傷風了。

她不動聲色，慵懶的讓婢女細心的幫她裝扮。

唐時，一般富貴人家的仕女皆愛「頭梳墜馬髻、兩腮不施紅、以墨點唇、眼下傅粉若啼泣」，婢女拿了墨膏脂粉來，麗郭心裡就有了計較，想是烏紇準備將她妝扮成貴婦千金，用馬車騾轎之類，嚴嚴密密的把她送往賀蘭山。

哼，她哪有讓他如意的道理！

她冷冷的拒絕，只肯梳個墜馬髻，墨膏和脂粉都推得遠遠的。「我又不是家裡死人，弄得青面獠牙做啥？妳們若眞打扮不來，我自己來就是了。」

婢女不敢勉強這個懶洋洋卻派頭很大的姑娘，只好幫她換上一身飄逸紗裙，襯著雪白的肌膚和貴重富麗的纓絡圈。

淡淡的掃了掃眉，麗郭瞥見匣裡有盒芳香的玫瑰胭脂，自己動手沾了沾，薄薄的塗在唇上，媚眼如絲，讓婢女們都看得發怔。

未打扮就知道她麗質天生，這樣一妝點起來，衣袂飄舉，柔不勝衣，襯著修長的蛾眉和慵懶媚眼，薄薄的唇兒粉嫩得像是桃花瓣兒，任是不語也風流！

連烏紇推門一看，也讓斜倚在小几的麗郭鬧了個心頭亂跳，好一會兒才不太自然的將臉一別，「鬼醫大人，我們該啓程了。」

眞是沒見識的賊頭！麗郭沒好氣的搖著羅扇。

見到她這般三流姿色就傻眼，若見到她大姊，豈不是流了一地口水？男人眞沒幾個好東西！

「我說，烏大俠……噯，我又口誤了。」她皮笑肉不笑的放下羅扇，「烏大俠，我拴著這狗鍊……你是讓我怎麼啓程哪？」

向來穩重自持的烏紇讓她說得面紅耳赤，默不作聲的上前解了鍊在船樑上的紫金鍊。

麗郭滿心是氣，裝作不勝鍊重，跌坐回去，「我這麼一個手不能提、肩不能挑的姑娘，烏大爺，你也太折騰人了，怕我飛上天去嗎？」

烏紇瞧她嘴硬，偏又一副弱不禁風的樣子。

這樣沉重的紫金鍊，比尋常金屬重好幾倍，她的功夫又不佳，眞這樣拖著，千山萬水，還不知道她撐不撐得住呢……

見烏紇面露猶豫，從小守護到大的護衛悄悄的提點，「少主，鬼醫可不是尋常姑娘。」

烏紇這才一凜，瞧了瞧泰然自若的麗郭。可不是？她絕非尋常柔弱姑娘。

麗郭在心裡破口大罵那個該死的多嘴護衛，沒好氣的看著婢女展了件大紅猩氅披在她身上，飾以翡翠如意雙珠鍊固定著，剛好掩住拖在頸後的紫金鍊，另一端就執在似笑非笑的烏紇手上。

就算金妝珠點，還不是被當成狗牽來拉去，眞眞氣死人了！

「就是怕風大，鬼醫大人身子骨看起來如此單薄，只好冒犯了。」烏紇露出迷人卻令人想一口咬死的笑容。

「我們該啓程了。」拉了拉手上的紫金鍊。

就算這鍊子很長、非常長、長到可以拖地，甚至可以隱藏在烏紇的斗篷下，讓人看不出異狀，但是，她若執拗著脾氣不肯動，那個笑得可惡的男人肯定不介意一路拽著她到賀蘭山的。

這不是使性子的時候，忍忍忍……林麗郭，把妳這輩子的忍耐存量都拿出來，省得在眾目睽睽下丟人現眼！

以後有得是報仇的機會。

她猛然站起來，一陣頭昏差點讓她栽倒。烏紇原想扶住她，又想她應是裝模作樣，想擺脫這條鍊子，遂忍住看著她。

麗郭咬牙裝作若無其事，好險……眼下風邪還輕，兩帖藥就打發了。若是現在就露了餡，可不壞了她苦心謀畫的計謀？

烏紇意味深長的看了她幾眼，突然有些沒把握，再全盤推想自己的計策，實在找不到任何疏漏。但她太鎮靜了，太鎮靜就不對勁。

他在鬼醫館逗留數日，一直在觀察她，知道她是個心高氣傲、心地慈軟卻言行剛烈的姑娘，被人這麼羞辱的拴了鍊子，甚至斷絕一切送訊的機會和後援……爲什麼還能這樣泰然自若？

等他們平安的搭了華美的馬車招搖的離開，他還是不斷思索著。

入夜打尖換馬，烏紇聽完探子的報告，微微的點了點頭。

一路上沉默不語的麗郭，只顧喝她的茶，連瞧都沒往這兒瞧。

「……鬼醫大人，追兵都追著江船而去了。」他含笑的觀察她的神情。

帶著倦容的麗郭懶懶的倚在小几旁，「意料中事，他們沒幾個腦袋靈光的……連我都讓烏大爺耍得團團轉，何況是他們呢？只是可憐了船上的人，萬一落到暗黑武林的手裡，你最好知道，他們不是吃素的。」她嫵媚的笑笑，指尖有意無意的在杯沿輕畫。

烏大爺？烏紇沒好氣的看著這個老愛損他的鬼醫，「我姓烏。」

「反正寫起來都差不多。」麗郭掩了掩口，打起呵欠，「烏大爺，你若不介意，我沐浴之後要睡了。我雖在江湖行走，好歹也顧一下我的閨譽。」

這種時候還有閒情逸致洗澡？

烏紇皺起眉，實在不知道她葫蘆裡賣什麼藥。但想想她性本愛潔……不知道是虛張聲勢呢，還是豁達過人？

沉吟了一會兒，他點點頭，「那就不打擾鬼醫大人安歇了。」

等烏紇一離開，麗郭上前把門閂上，看著鍊在樑柱上的紫金鍊。好極了，只要把樑卸下來就能逃了。

可問題是，她一個弱質女流怎麼卸那大樑啊?!

忍著頭疼，她有一搭沒一搭的攪著熱水。總得弄出點水聲讓外面的人聽聽是不?可憐她已經傷風，還得洗涼透的洗澡水……

壓住喉頭的一聲咳，她估計再兩天，她就會開始發燒，倒床不起。到時候，那烏人只有兩條路：一條呢，硬拖著她往賀蘭山，大約不出十天就得尋藥館讓她就醫，畢竟，抬個屍體去賀蘭山沒用是不?第二條呢，直接找藥館醫治，醫好了再上路。

不管他選哪一條，到底都緩了行程，而且，他定也不敢帶著她直接求醫——料想暗黑武林現下應該如翻窩的虎頭蜂，遍天下亂尋人，照烏紇詭計多端又謹慎的個性，是不會這麼做的。

到時候，是誰開方，又是誰醫治呢?這麼一行人，除了兩個丫頭、兩個護衛和烏紇，除了她之外，又有誰能開藥方子的?又有誰看得懂藥方子呢?

雖然頭痛欲裂，麗郭還是微微的笑了笑，帶著嫵媚的邪氣。

終於，她脫了衣服，泡進微溫的洗澡水中，開始發燒的她，倒還覺得挺舒服的。

就算難受到快死了，只要想到烏紇驚慌失措的鳥樣，她還是忍不住笑了出來。

☘

車行三日，烏紇開始覺得不對。

雖說已經徹底甩脫追兵，麗郭卻病倒了。若是她裝柔弱的哼聲，還可以當作是她的詭計，但是眼下——她不言不語的趴在馬車上的迎枕，渾身滾燙，呼吸急促，一按脈門，緊促而弱，分明是病得極重。

「為什麼不舒服也不說？」他又驚又怒。

「烏大爺，我怕你說我裝病裝死。」麗郭病得兩頰赤霞，卻還是冷冷一笑，「令尊的病要緊，我這賤命哪裡及得上？不過是傷風，睡睡就好了……」

「睡睡就會好，那要大夫做什麼?」向來冷靜的烏紇大怒，心裡說不出有多痛，握著她的肩頭，「妳根本是存心氣我！氣我用纓絡圈羞辱妳，所以病成這樣也不言不語的——」

「烏大爺，你也知道這是羞辱我嗎?!」麗郭強打起精神，推開他的手厲聲道：「放尊重點，好歹我也是你『請』來的大夫。反正早死早超生，趕緊到賀蘭山，醫完了事，咱們井歸井、河歸河，永遠也不要再見！賀蘭山到底還有多遠?乾脆日夜趕路，在我病死前趕緊到吧！扛個屍體去又能幹嘛?!」

激憤的說了這麼一大段話，她大咳特咳起來，一時面白氣促，更添楚楚可憐。

烏紇低了頭，心裡莫名的感到傷痛。他防她心思細密，拿出的手段難免傷人了些，但是爲了義父，他什麼也管不了了。

「麗郭姑娘，妳且息息氣。」他輕輕嘆息，「本來是不該如此的，但是我義父病況危急……誰無父母?妳爲了父病，日夜兼程的飛奔去救，難道不能體諒我的私心與焦慮？將妳綁了出來，是我不對，可待我義父病癒，做牛做馬，刀山火海，萬死不辭！就算妳要怎麼加倍折辱我，我都甘之如飴……」

麗郭看也不看他，只是媚眼含淚，面容卻微微柔和起來，想來是打動她的心腸了。姑娘家心腸最軟，她又是不耐聞病苦聲的慈悲醫家，這讓烏紇又多了幾分把握。

「麗郭姑娘，妳是一代名醫，哪個大夫強過妳呢？妳開藥方子出來，我讓丫頭抓去。想來妳是奔波過度，沒得歇息，所以傷風了。眼下無追兵，我義父的病暫且無礙，我們先緩行些，讓妳養一養病吧。」

就不信他不中她的套兒！麗郭垂下眼瞼，遮住了得意的眼神，半晌不言語。

「這什麼鳥鍊子，讓人不得安枕，還養病呢……」她嬌聲抱怨，粗魯的挪了挪纓絡圈。

「筆呢？紙呢？鳥大爺，你不會要我在這案上血書藥方吧？不給紙筆，我是怎麼開藥方子呢？」短短幾句話，她倒是咳了五、六聲。

烏紇傳人拿來紙筆，麗郭在顛簸的馬車上搖搖晃晃的開藥方。

一到客棧，烏紇馬上讓婢女去抓藥。

麗郭病得沉了，一摸到床，哎喲一聲，便躺平睡去，煎好的藥還是烏紇叫醒她起來吃的。昏昏沉沉的喝完藥，她擺擺手，又往被褥裡偎去，竟又睡著了。

烏紇憐惜的瞧著她，望了望依舊拴在床腳的紫金鍊，有些猶豫。戴著這個的確是不好睡……她病成這樣，又能跑去哪兒？

原本要解開，探子匆匆過來，低低在他耳畔說了幾句，烏紇不禁變色，「當眞？」

「不可能！我們行蹤如此隱密，神隱——」他住了口，狐疑的看了看似乎熟睡著的麗郭，示意探子與他退出房外。

神隱尋了來？怎麼可能？他知道神隱林麗剛乃是鬼醫的姊妹，但是金陵的一場好戲，居然沒有騙倒她？

是神隱神通廣大呢……還是鬼醫透露了什麼訊息？

不可能。麗郭日夜皆有人看守，她有什麼辦法通知神隱？

他思忖著，卻不知應該熟睡的麗郭此時正睜開眼睛，微笑地將嘴裡含著的藥湯，吐在那盒半空的玫瑰胭脂裡。

我沒有毒嗎？烏大爺，你也該好好讀讀醫書了。

上等的毒藥，又不是鴆毒、鶴頂紅而已。只是，要讓數種藥材發揮出毒性，她還得仰賴幾天的「傷風藥方子」。

到時候，換他動彈不得地趴在地上任她踹了！她發誓，他若著了她的道，讓她解下這個紫金鍊，一定套在他的脖子上，拖著遊街去！

麗郭咳了兩聲，越想越高興，忍不住笑出聲音。那容顏，眞是說不出的媚與艷。

「看來，我高估了鬼醫的手段。」冷著臉，烏紇看著依舊病懨懨的麗郭。

「病來如山倒，病去如抽絲。」麗郭無精打采的倚在枕上，「不然，你去尋個小姐，從濟南奔到西南大營，三天不睡，再備受驚嚇的遭綁架，一路沒命的晃馬車試試看。烏大爺，我是婦道人家，大門不出、二門不邁，連去鬼醫館都要人抬轎的，你還嫌我好得慢？醫家手段有限，還是得看病家根骨實不實在吧……」

這句「烏大爺」還眞是讓她喊得生根了……烏紇沒好氣的想。

昨天丫頭一時叫得順了，居然也衝著他喊「烏大爺」，眞眞把他氣煞，倒是教病了幾天的麗郭綻出罕有的笑顏。

衝著她那令人失魂的笑，烏大爺就烏大爺吧。

但是她這病，起碼也耽擱了四、五日的行程。神隱手段非凡，似乎也能調動官府遍查商家，她越追越近，而且筆直朝著他們而來。

神隱是怎麼追查得到的？他開始覺得不對勁，看了看邊咳嗽邊開藥方子的麗郭，心裡突然一動。

丫頭準備去抓藥時，他看麗郭已經進房，這才說：「方子先給我。前幾天的藥方還在吧？也給我。」

藥方幾乎都沒有重複，但是有幾味藥每張都有——馬勃、木賊、車前草、使君子、當歸……

馬賊、車、使君子當歸？

啊呀，他忘了麗郭姊妹出身林神醫府上，藥方傳訊根本是輕而易舉的事。若要查藥方子，各醫館都習慣抄下客人抓藥的藥方，下回抓藥就不用拿藥方子來。

這姑娘……眞是一點也鬆懈不得！

烏紇啼笑皆非，又不能不管麗郭的病。他尋思了一會兒，吩咐丫頭，「這藥方別去抓了，請個大夫來看看……林姑娘不太會醫自己的病呢。」

等大夫請來了，麗郭氣得發怔。眞眞該死！她這味千里奪香散只欠今天的藥引，就可使人功力暫失。現在這味還沒完成的奪香散，也只是尋常迷藥而已！再說，她的藥方隱藏了訊息給神隱，如今卻來了個沒用的廢柴大夫，她要怎麼留蹤跡呀？

「你這是削我面子嗎?找別的大夫幫我看病?!普天之下——」麗郭厲聲道，就見站在床頭的烏紇氣定神閒，悄悄扯了扯床帳下的紫金鍊，她立刻噤聲。

若讓人知道她鬼醫林麗郭鍊了這條狗鍊，這話傳出去，她還要做人不做?麗郭的俏臉微微抽搐，惡狠狠的瞪了他一眼，別開臉去。

「娘子，妳還是讓大夫看看吧。」烏紇臉上掛著很迷人卻令人很想咬斷他喉嚨的笑，「大夫，我這娘子身有宿疾，不能用『馬勃、木賊、車前草、使君子、當歸』，您可要留神了。」

麗郭聞言不禁臉色大變，雖然旋即鎮靜下來，還是讓烏紇瞧見了。他心裡暗笑，縱使她百般心眼，還是逃不出他的掌握。

等大夫走了，烏紇皮笑肉不笑的，「鬼醫大人果然手段高明，烏某佩服。」

「烏大爺，」麗郭冷冷的回他一句，「逃不過你的眼，還高明什麼呢?」

「知道就好。」他上前想要逗逗她，卻驚覺眼下只有他們兩個，一種莫名的危機感提醒了他，遲疑的站在原地。

麗郭傳訊雖是眞，病弱卻也是眞，何況她沒有毒藥了，連煎好的藥都是他看著喝下的，她手邊哪有合毒的材料呢？

但是鬼醫林麗郭，不能以常理揣度，連尋常藥方都能傳訊，到底她還做了什麼？

他站定，微微一笑。「鬼醫大人，等等丫頭端了藥來，妳就喝了，早些安歇吧。」他風度翩翩的行禮，出房去了。

麗郭氣得直捶枕頭。好不容易剩他們兩個，他不是很愛動手動腳欺負她嗎？現在又精得跟鬼一樣！他就不能再靠近兩步，好讓她下奪香散嗎？

就差那兩步！該死的傢伙！鑰匙一定在他身上，只要以奪香散迷倒了他，解開這條狗鍊，她就自由了！爲什麼這鳥人就是不上前兩步……

「你這鳥人！我恨死你了～～」麗郭大叫起來。

聽見這聲音，走到樓梯口的烏紇，忍不住微笑起來。

只是，他們不知道，麗郭這不經意的大叫，止住了院子裡一抹黝黑的身影。

戴著紗帽的女子漠然的抬頭看著燈火通明的廂房，眼中閃著濃重的殺機。她冷靜的等著，等烏紇下了樓梯往食堂走去，她像是靜默的鬼魂，悄悄的飄上樓。

門口看守的兩個護衛只覺一陣幽香，神志一昏，無聲無息中已身首異處。

女子推開了門，冷笑的看著床上的被褥，手中的銀刀筆直的插入被褥中……不對！刀的觸感不對！

她立刻回身反擊，哐啷一聲，千錘百鍊的銀月刀居然隨著火花出現了缺口。可恨！眼前是將她害得極慘的仇人，但是她的刀卻無法砍下仇人的首級！

麗郭覺得自己快昏倒了，多虧了這條堅固的狗鍊。剛剛她聞到極重的血腥味，和人頭落地的聲音，她是名醫，非常熟悉這種氣味和聲音，心裡知道不祥。來人絕非神隱，她的姊妹都厭惡殺生，不可能出手就奪人性命……

可是，被這狗鍊鍊著，她是能躲哪兒去？只能從被窩爬起來，悄悄立在床邊。這條狗鍊不知是要害死她，還是要救她……幸而也仗著這條狗鍊夠堅硬，居然可以架住殺手的刀。

「等等，姑娘，等等！」麗郭氣急敗壞的大嚷，「如果妳要殺負心漢，也看清楚再殺啊！我是無辜被綁來的，可不關我的事情啊～～」

該死的鳥人！天殺的鳥人！偷吃也不擦嘴，現在人家砍上門了！關她啥事啊？她只是個柔弱無助的閨閣千金，跟他可是一點關係也沒有……

「負心漢？」女子冷笑兩聲，「我的仇怨，豈是『負心』這種小事！」她一把掀了紗帽，露出猙獰扭曲的半張臉。

麗郭更使勁的執住紫金鍊，雖然她已經呆了。老天老天，眞要亡我嗎？怎麼讓這個剛出爐還熱騰騰的仇家找上門？

她是毒仙！

只見她的半張臉已然全毀，猙獰扭曲得像是鬼面，原本嬌俏的眼眸疑似被毒所傷，白濛濛的一片，眼角可怖的下垂。

這下毀了……若是毒仙損了一手一腳，她搞不好還有個全屍，偏偏毒仙損的是女人最自傲的容顏！

「仙子！仙子！妳先別衝動……」麗郭急得大叫，「喂，妳別把刀戳得那麼用力……小傷嘛，這種傷交給我，一定讓妳完完全全恢復……比以前還美喔！」

「我的眼睛呢？」毒仙眼中露出恨毒的精光，「妳醫得好我？我呸！這是苗疆獨傳的蝕骨毒蠱，就算華佗再世也束手無策！我要殺了妳！都是妳把我害得這麼慘～～」

關她啥事？這女人眞是不可理喻……只見毒仙發起內勁，刀鋒一點一點的咬進紫金鍊，麗郭也快沒力了。「就叫妳等等啦！我對蠱毒也有研究啊！若是蠱毒就更好辦了，驅了蠱蟲就是了啊！妳也是使毒的高手，難道不明白這原理？妳的眼睛我會盡力，好不好？就算不能恢復原狀，也讓妳看得見，成不成？只不過是毀容嘛……」

「只不過？只不過?!」毒仙的聲音拔尖，簡直要瘋狂了，「都是妳！妳破了我的毒，害我毫無防備的讓仇家追殺！妳看看我的臉，我的臉！我也要讓妳嚐嚐這種痛不欲生的滋味，在妳死前先劃花妳的臉蛋！」

該死，她很怕痛的欸……「喂，妳到底懂不懂人話啊？妳殺了我容易，可容貌誰幫妳醫治啊？殺了我，妳就沒希望啦！」

那個鳥人死哪兒去了？平常在身邊轉得令人發煩，這種時刻居然不見蹤影？

麗郭的話讓毒仙愣了愣，有些遲疑不定。殺她易如反掌……等臉治好了，要殺她還怕不成嗎？但是就這樣放了鬼醫，她忍不下這口氣！

「不殺妳？成。」毒仙冷笑一聲，「我就劃花妳的臉，饒妳一命吧。」她迅若疾雷的伸手抓住麗郭的手，銀月刀就要往她的花容月貌劃下去——

聽得腦後風響，毒仙本能的回了一刀，麗郭趁隙抽了她一鍊子，趁她吃痛，趕緊跑開些——可憐她讓狗鍊鍊著，跑也跑不遠。

「你這鳥人，差點害死我！」她驚魂甫定，對著和毒仙纏鬥的烏紇大叫。

烏紇瞥了她一眼，心下不禁有些愧疚。剛好烏家堡接應的人來了，這才耽擱了些時候，哪知道才一會兒不見，差點讓麗郭喪命。

毒仙咬牙切齒，深知烏紇武藝高超，在他手裡討不了好處，而身後又傳來雜沓腳步聲，可見有後援。

早知道就一刀殺了鬼醫……只好來日找機會了。她拋下雷火彈，一陣白煙忽起，人就消失不見了。

烏紇見她敗走，鬆了一口氣。他過去攙扶虛脫軟倒的麗郭，「妳沒事吧……」

「背後！」麗郭尖叫出聲。

烏紇聽到警告，只來得及一偏，雖然避開要害，肩胛依舊被刀穿透，血珠順著刀尖緩緩滴落。

他驚詫的回頭，竟是烏家堡忠心耿耿的大管家含淚使了這催命的一刀。

發現一著不得手，大管家拔刀退後，「殺了！」

烏紇大吼一聲，回刀宛如破天之勢，卻一刀斬向床腳，轟隆隆的，紅木床垮了半邊，他又奮力將紫金鍊從崩垮的木屑中拖出來。

「這是鑰匙！」他朝後拋了一把小鑰匙，「麗郭，快走！」

她自由了？麗郭愣了一下，看著烏紇身負重傷的和自己人大打出手。

要逃得趁現在……

她壓抑住喉間驚慌的咳聲，正想要走，只見烏紇不要命的撲上來，用身體擋住了對著她招呼的刀刃，「走！快走！」

像是滿身鮮血的戰神，他狂呼著，浴血奮戰。

麗郭站定了。「我沒有拋下病患的習慣。入我鬼醫門，恩怨擺兩旁，你們沒聽說嗎？」

她含了一口玫瑰胭脂，向著眾人拋下了玫瑰胭脂盒，還沒有完成的千里奪香散逸開來，聞到的人不禁搖搖晃晃的宛如酒醉，她連開鎖都來不及，拖著昏厥的烏紇逃了出去。

「鬼醫……鬼醫……」大管家靠著深厚的內力勉力支撐，爬行而來，「妳不能放過他！他是大唐朝的禍根哪～～」

麗郭停了一下，還是咚咚咚的將高頭大馬的烏紇拖下樓梯，也不管他撞了幾個包。「我知道，我完全知道他是個禍頭子……」眼底忍不住蓄滿淚。

但是她能怎麼辦？她總不能看這個禍頭子莫名其妙的被宰吧？

「我也是千百個不願意啊……」她低聲道，費力的將烏紇拖上馬車，一面低咳著，一面急急的策馬而去。

第五章

驅車盲目的狂奔，憑著薄弱的記憶，麗郭以爲她朝著歸家的路疾馳，事實上，不分東西的她卻是往北而行，離濟南是越來越遠了。

等她終於寧定心神停了下來，才發現自己已經在荒郊野外了。

這下可好，她比任何姊妹都嬌生慣養，其他人五湖四海遨遊時，她還乖乖的在家裡當千金小姐，就因爲她對自己非常瞭解，瞭解自己左右不辨、五穀不分，單獨出門不到五里就寸步難行。

這麼有自知之明的人，落到這種荒郊野外，只能無語問蒼天了。

瞧見前方有個驛站，她連忙將馬車趕進去。舉目所見，佈滿了蜘蛛絲和灰塵，愛潔的她不禁皺了皺眉。

奇怪的是，這驛站倒還算完整，就是沒有人煙。大門敞開著，馬廄裡沒有馬，屋子裡沒有人。

她心裡疑惑，跳下馬車，謹慎的裡裡外外看過一遍，越來越摸不著頭緒。這兒看起來也是頗氣派的驛站，許多擺設一應俱全，大廳雖然佈滿塵埃，裡面幾間客房倒是乾乾淨淨的，可卻尋不到有人居住的痕跡。

走到後面廚房，鍋倒灶冷的，薄薄的蒙了層灰，像是很久沒人開伙了。

當然，麗郭不知道，這個驛站突然發了瘟疫，一夜之間，所有的人馬牲口死了大半，倖存的人大爲驚嚇，認爲是瘟神作祟，將遺體火焚了，就匆忙封了驛站遷走。

一無所知的麗郭雖然疑惑，但這荒山裡，她折騰了大半夜，眞的累了，又掛念那鳥人的傷勢，反正天都要亮了，且先歇歇再做處置吧。

主意打定，她爬上馬車，烏紇猶中奪香散昏迷未醒，想要將他扶下馬車，無奈已經虛脫無力。眞奇怪，剛剛是怎麼將他拖上馬車的？只能說遇到了急難，人眞的會突然神力泉湧，怪不得她現在腰痠背疼的……這高頭大馬的漢子真真要累死她這手無縛雞之力的可憐姑娘。

偏偏他昏睡得極沉，拽胳臂拉手都拖不動，只好使勁的拖著他雙腿，一路碰碰撞撞的拖進大廳。

這樣好嗎？怕是刀傷沒要了他的命，腦袋先撞爛了。不知道他腦袋結不結實……一個沒留神，拖過彎時，讓他用臉迎接了石柱，磅一聲巨響，麗郭白了臉。

這可不好！還沒來得及醫就歸西了！

聽到他呻吟一聲，麗郭才安下心。還有氣就好……「烏大爺，你……可覺得怎麼樣？」

烏紇抬了抬沉重的眼皮，「……我的頭好痛。」他神志還不太清楚，狐疑的摸了摸頭上大大小小的腫包。

奇怪……管家叔叔應該沒這樣使勁打他的頭吧？

「啊……呃……」麗郭有些結巴，「剛剛我奪香散撒得急了，來不及通知你……」她嚥了嚥口水，「所以你跌倒摔了幾個包……」

「終究還是讓妳合成了毒。」烏紇無奈的笑了笑，甘拜下風，「烏某千防萬防，還是防不到鬼醫的手段。」沉默的看看這個陌生的大廳，「麗郭姑娘，是妳救了烏某？」

今晚發生的事情太突然了，向來敬之如父的大管家突然對他下毒手——雖然早就有了預感，到底還是感傷的。

麗郭被他一問，反而有幾分狼狽，她擺出冷冰冰的不耐煩神態，「入我鬼醫門，恩怨擺兩旁。哪有在我住的地方殺來殺去的？這可跟我的原則大大牴觸。就算……就算你是綁架我的可惡馬賊、天殺的壞人，我也不能夠違背原則，看著我住的地方有人死。再說，你到我鬼醫館求醫，也算我的病人，哪有醫家看自己的病人死掉的？欸，我可不是存心救你，只是事關原則，我不得不爲罷了……」

即使萬分愁苦，聽她這樣極力撇清，烏紇還是忍不住笑了出來。只是奪香散的威力猶存，他又漸漸陷入昏睡中……

直到麗郭手持烤熱的小刀割開他負傷的肩膀，他才痛醒過來。

「妳……」烏紇瞪著若無其事切開他發黑血肉的麗郭。「妳就算這麼恨我，一刀痛快就是了，需要凌遲嗎～～」話說到最後，聲音已經拔尖顫抖。想要逃開，發現已經被點了大穴，動彈不得。

「眞的恨你，幹嘛幫你剔骨療毒？」麗郭不以爲然，「欸，撐著點。人家關羽剔骨療傷，夜觀春秋面不改色。好歹也學學人家的英雄氣概……」她不僅僅用藥橫霸，讓她醫治過的江洋大盜都曉得，若不是命在旦夕，千萬別讓她傷筋動骨的療傷，那種痛，會讓人恨不得轉世投胎比較快……

「我不是啥勞什子的關羽啊～～」烏紇叫得更慘了，「住手！喂，妳好歹也打昏我吧？不然也給個麻沸散什麼的……啊～～那是我的胳臂！妳以爲是切死豬肉嗎～～」

「別鬼叫了行不行？」滿頭大汗的麗郭費力的壓跪在他胳臂上，免得他亂動。

「再一下子就好了嘛！砍你的這刀有毒……誰讓你把我的藥瓶子都拿走？我不把傷

口洗乾淨，你還有命在嗎？女人生孩子都沒你嚎得大聲，是不是男子漢啊你?!」

嘴裡抱怨著，手裡還是毫不留情的動刀子，不顧他慘叫連連的澆了火燙的水把傷口沖乾淨，又拿出針線，開始將他的傷口縫了起來。

縫合完畢，烏紇雙眼無神的望著天花板，不禁懊悔起來，早知道就讓管家叔叔一刀穿心，省得讓她這樣要切就切、要縫就縫……

他終於瞭解為何那些粗豪漢子看到這位嬌小的鬼醫，就會忍不住抖個不停了。

將他的胳臂和肩膀的血污拭淨，麗郭很滿意自己點穴的手法。瞧，出血這麼少，這麼短的時間就把傷口處理好，雖然她女紅做得很差，但是論起縫合傷口，可沒人縫得比她漂亮。

「喂，連謝也不說一聲啊？」就算收不到診金，口頭謝一聲不會嗎？這些土匪強盜眞的都得再教育！

烏紇運了運氣，發現原本因毒窒礙的內息居然順暢了起來。果然是名醫手段，既無醫藥，也無器械，單靠點穴和一把烤過的小刀，就救了他一命。

雖然療傷的時候，他眞的想乾脆死了比較快。

「……謝謝麗郭姑娘。」他有氣無力的說。

「幹嘛這麼頹頹喪喪的？」麗郭不高興了，「你壯得跟條牛一樣，這點小傷也這麼沒精神？」

烏紇對她翻了翻白眼。聽說鬼醫手下起死回生，死亡率甚低，搞不好那幾個翹辮子的，不是醫藥罔顧，而是被活活痛死。

麗郭幫他解了穴，翻箱倒櫃的找到了硯台，吹了吹上頭的灰塵，她注入了點水，開始磨墨，又試著把乾透的筆洗軟。「我開個藥方子給你，以後照著外敷內服就是了。這刀穿透肩胛，看起來很險，其實是你運氣好，既沒有傷到血脈，傷口又已貫穿，毒血反而流得出來。若是讓毒悶在裡頭運行……我也不用費力了。」

事實上可能會更費力，畢竟她沒埋過死人是不？想來挖坑埋人比動刀縫傷口累……不禁慶幸自己還算是個不錯的大夫。「放心，你根骨強壯，內功底子又深厚，這點小傷礙不著什麼，就算不吃藥，認眞運功行氣，剩下的那點毒也傷不了你。」

開好了藥方，她吹了吹墨漬未乾的絹紙，遞給了他。「烏大爺，我做到我的本分，維持了我的原則。就此別過，告辭。」

「麗郭姑娘……」烏紇沒有接過藥方，遲疑的說。

「嗳，我絕對不去賀蘭山的！」麗郭跳了起來，「天下大夫甚多，又何必非我不可？若說令尊的命重要，我館裡的病人就不重要了嗎？烏大爺，我自從行醫以來，診金向來驚人，今天也得跟你收收診金了——我的自由就是診金！從今以後可別再出現在我面前！過去我就不計較了，以後你可別來騷擾我！」

「麗郭姑娘……」烏紇搔了搔頭，還是沒有接下藥方。「我是想說——」

「怎麼？我救了你一命，你還硬要把我綁去賀蘭山？恩將仇報，是江湖豪傑所當為嗎?!」

「麗郭姑娘！」烏紇大叫起來，牽動了傷口，疼得他一咧嘴，忍痛說：「我是說，麗郭姑娘，妳該不會打算繼續拖著這條紫金鍊跑來跑去吧？我剛剛看了都為妳捏把冷汗，妳好幾次差些被鍊子給絆倒了啊！妳是把鑰匙弄丟了嗎？」

一摸自己的脖子，麗郭這才驚覺這麼大半夜的，她居然拖著這條極長的紫金鍊跑來跑去。一想到剛剛自己就這樣拖著鍊子驅車趕馬……幸虧她林家祖上積德，沒讓這鍊子絞進馬車輪軸，不然脖子和腦袋大約搬家已久了。

忍不住發了身冷汗，她抖著手，險些解不開那個纓絡圈。

好不容易將這該死的狗鍊拆下來，她感到無比輕鬆，可隨即，心裡一把火忍不住冒了出來。該把這鬼玩意兒鎖在這個烏人身上才是！

只是，沒收診金已經虧大了，這條破狗鍊大概還能賣點錢。睇了睇已經恢復精神的烏紇，先不說這高頭大馬的馬賊不會乖乖就範……所謂識時務者爲俊傑，君子報仇，三年不晚，不趁他現在身上有傷快快溜走，難道還等他來綁人不成？

她趕緊將纓絡圈和紫金鍊都收入懷裡，謹慎的跟他拉開點距離，「烏大爺，你保重，麗郭這就別過了……」

烏紇張了張嘴還想說什麼，遲疑了一會兒，「……鬼醫大人，妳的救命之恩，烏某記下了。」他突遭大變，內心甚感茫然，不知何去何從。若眞繼續押著麗郭北上，自身尚且難保，又怎麼顧到她的安危？

見他如此頹喪，麗郭雖然不知道當中因由，倒也猜到了五、六分。只是愛莫能助，多問又有何益？空泛的安慰徒然更傷人。

「烏大爺……」麗郭開了門要走，又有些躊躇，終究還是多事的開口，「男子漢天寬地闊，何處不能安生？父母責，不能辭。我瞧你也挺知書達禮的，應是唸過幾年書，難道不曉得小杖則受，大杖則逃？父子沒有隔夜仇，就算不是自己生的，養的情分大如天呢。就算是一時誤會了，你可別引頸受戮，這就不是『孝』了。將來誤會若有冰釋的一天，你讓令尊追悔莫及，懊悔終生，豈不是不孝之至？」

頹喪的烏紇抬頭，驚訝的看著這個醫家手段毒辣無比的小姑娘。短短幾句話，一下子就揭開他內心深處的迷惘，眞眞比自己心裡掏出來的話還貼切……

「烏某受教了。麗郭姑娘……非常感謝妳。」他的眼神柔和起來，反而讓麗郭有些狼狽。

「噯，我就是愛多管閒事。」她氣紅了臉。說這些不相干的話做啥？快逃才是吧！」

她急急的出了大門，卻驚覺空氣中飄蕩著醉人的芳香。

這香……這香……她驀地跳回門裡，臉孔白得跟雪一樣，趕緊把門窗一一關緊，六神無主的輕喃：「完了，完了……這群老不死的不是統統翹辮子了？怎麼會……怎麼會……」

「麗郭姑娘？」烏紇覺得她面色有異，跟著渾身緊繃起來。

「都是你！」麗郭差點哭出來，「我好好的待在鬼醫館裡，哪個人能碰得到我？現在可完了！啊呀，爹、奶奶……我可是要去陪娘了，原諒麗郭不孝啊……」

烏紇待要問清楚，只聽到一陣銀鈴似的笑聲——

「喲，小姑娘，誰是老不死的？沒想到我閉關二十載，後生小輩就不認得我了呢……」

聲音柔媚蝕骨，嬌嗲得讓人心頭發癢，烏紇還不覺得怎樣，麗郭內功低弱，就算掩著耳朵，身子也不由得晃了晃。她趕緊躲到烏紇的身後，仗著他極盛陽氣抵禦來人陰毒的內功傳聲。

就見堅固的門閂只一晃，整整齊齊的斷成兩半，就算是鋸子費力鋸半天也沒那麼整齊，平平整整的落在地上。

沉重的大門無聲無息的開了，西落的月帶著微紅，描繪出女子曼妙的輪廓。只見她身穿重重疊疊的薄紗，手臂和渾圓的足踝都誘人的裸露著，額上貼著桃花花鈿，一雙柳細的眉入鬢，唇上塗著深艷的紅，漆黑的長髮高高梳起，身上的薄紗無風而動，飄逸得像是畫裡的飛仙。

但是——那雙清澈的丹鳳眼微微揚起，透露著清醒的瘋狂。

她輕啓朱唇，笑得非常柔，「小姑娘，誰是老不死的？」

這柔媚女子每說一個字，麗郭就忍不住輕顫一次。這個天不怕、地不怕的鬼醫，居然抖得像個篩子一樣。「拜拜拜見……無色天宮主……」

「喲，妳知道我是無色天宮主？」宮主嘻嘻一笑，「大約是我這不成材的徒兒告訴妳的吧。」她像是拋條手帕似的將拖在手裡的人扔在門口。

麗郭雖然看過無數傷患，但是只瞥了一眼，還是忍不住欲嘔。

那個被折磨得不成人形的人扭曲起來，「師、師父……徒、徒兒不敢洩漏師承……」

聲音雖然瘖瘂模糊，麗郭還是認出來了，那是毒仙的聲音。

老天啊……祢眞要亡我！嫌毒仙不夠棘手嗎？爲什麼……爲什麼毒仙的師父居然是這個可怕的女人？

林太夫人年輕的時候是成名的俠女，嫁入林家才隱遁江湖，閒來無事，常常跟幾個孫女聊武林軼事。而麗郭成了鬼醫後，和江湖人多有接觸，她更殷殷告誡諸多禁忌。

無色天這個神祕的門派，更是禁忌中的禁忌！

當時林太夫人提到無色天，曾嘆口氣說過——

「若是其他棘手門派，多少都願看我薄面，不至於太爲難妳們姊妹。若是遇到無色天的人，就只有一個字——『逃』！能逃多遠就逃多遠，能逃到少林寺就更好，普天之下，也只有少林掌門還保得住無色天要殺的人……」

這個擅長使毒、機關、暗器，擁有獨門內功心法的無色天，天下沒人惹得起。林太夫人年少時俠名在外，僥倖在無色天門人手下逃生，卻也傷重差點不癒，還是讓麗郭的爺爺給救治了，才成就一段良緣。

但是，提起這個門派，心高氣傲的林太夫人還是忍不住流露懼意。

這股懼意傳染了麗郭，她看起來天不怕、地不怕，卻也暗暗探查過這個神祕的無色天，結果那個出色的包打聽只來得及遞條充滿香氣的手帕，就這樣慘死了。

那種香味成了一種夢魘。

而此刻，這個夢魘正活生生的堵在門口，飄散著充滿殺意的芳香。

只是，據聞無色天久居長白山，與世隔絕。自從無色天宮主離奇失蹤以後，數十年來都未曾在江湖走動……如今爲何會突然出現？

「徒兒，妳告訴師父，」宮主溫柔的扶起不成人形的毒仙，「是不是這個小姑娘把妳害成這樣的？可憐……臉蛋都毀了呢。」

毒仙害怕得拚命發抖，咳出一口血，「……啓稟師父……咳咳，就是鬼醫害我的臉變這樣……」

宮主眼中出現悲憫之色，「變成這個樣子，活著也無趣……師父送妳一程吧。」

「師父饒命！」毒仙又咳又哭的拉住宮主的袖子，「是徒兒不是，我不該趁著師父閉關私逃師門！師父饒命，饒命啊～～」

宮主的眼神變冷，冷得像千年寒冰，「妳弄髒了我的袖子。」轟的一聲，毒仙沒了聲息。

麗郭將臉藏在烏紇身後，臉色慘白，不敢看毒仙的下場。

宮主轉動靈媚的眸子，「小姑娘，看妳這樣可愛嬌嫩，倒讓我有些不忍心了……但我答應替我徒兒報仇呢。」

麗郭渾身緊繃起來，更加縮在烏紇背後，死都不放手。

就著燭火，宮主端詳著縮在烏紇背後的麗郭，只覺得她氣度、神情似乎很面善……跟一個該死的女人很像！

這情景——這個偉岸的漢子和縮在他後面的嬌弱女子……她恍惚起來，勾起多年前的舊恨。

一掌打死他們很容易，但是翻湧了一甲子的恨意怎麼平息？

她眼神閃爍，覷著烏紇的眼露出溫暖柔和的清光，艷紅的唇漾著笑，「你……覺得我美嗎？」空氣中的香氣突然濃重到令人暈眩。

「烏大爺！不要看她的眼睛！」麗郭絕望的叫。完了，是攝心大法，又加上了媚香！原本對男人才有用的媚香，連她聞了都有點臉紅心跳，何況是血氣方剛的漢子？

烏紇像是沒聽到她的話，愣愣的點了點頭，對著宮主走近一步。

完了完了，真的完了……麗郭絕望的悄悄退後，雖然知道得避開這攝心大法，但是有股壓力迫使她抬了抬頭，眼神一和宮主接觸，她就動彈不得了。

這下……真的好極了。

眼見控制住了麗郭，宮主漾著的笑更媚、更妖了。「你……可願爲我做任何事情？」她纖長的指甲在烏紇寬闊的胸膛上輕劃，媚香透過指端染得更深。

「我願意。」烏紇的聲音含糊，更靠近她一些。

宮主滿意的一笑，眼底的瘋狂更盛，「那……爲我殺了她。」

烏紇面無表情的轉身走向麗郭，將手伸了出去，扼住她纖細的脖子。

麗郭想要尖叫，但是中了宮主的攝心大法，她連動都不能動，只能眼睜睜看著自己走向死亡……

一切都完蛋了……娘……麗郭就去陪您了……

她腦海裡一幕幕閃過親人的臉孔，最後是早逝的母親病弱卻清秀的容顏。

娘……您竭盡心力醫好了數縣瘟疫，年紀輕輕的就香消玉殞。這些年，女兒救過的人只多不少，到底也要隨您而去了……

閉上眼睛，她在心裡輕輕默唸——我不恨，不恨，這人不是存心殺我的，他只是中了邪法，將來若清醒，應該會追悔莫及……

不恨，不能恨。她向來善卜知命，深知每人皆有這一天，帶著怨恨上路，恐怕再也見不到娘，連深愛的家人都護佑不及。

她不能恨……

掐住她頸子的手越縮越緊，她反而屏住氣息，只求能快些死……

突然，脖子一輕，她還沒搞清楚發生了什麼事情，已經讓烏紇一把抱了起來，扛在肩上，撞破了木窗脫逃。

事出突然，連無色天宮主都愣住了。她精神一鬆懈，攝心大法便沒了準頭，反噬得她咳出一口血。

就這一點點空隙，烏紇已經扛著麗郭遠遠逃去了。

她的眼神森冷，燃燒著狂熾的怒意。「施聆風！林意玄！我看你們可以逃到哪裡去！」

多年的情恨沒有因長久的閉關而消滅，卻在無數清寂歲月中更熾烈。她尖銳的呼喊隨著風飄送過來，半里開外依舊清清楚楚。

「咦？」被顛得很不舒服的麗郭抬頭，「這個瘋女人……認識我爺爺和奶奶？」

「什麼？」烏紇只顧奮力狂奔，沒注意到無色天宮主說了些什麼。

「沒……」麗郭努力甩開心中的不祥感，「我說烏大爺……你能不能跑得穩一點？我顛得要吐了……」

烏紇翻了翻白眼，沒好氣的回答：「鬼醫大人，請妳閉嘴。」

第六章

烏紇輕功雖然不怎麼樣，但是氣息悠長，內功底子深厚，奔跑起來一點也不比上等輕功慢。

但是，無色天宮主的功力更是驚人，緊緊的追在身後，眼見就要追上了。

被顛得滿想吐的麗郭，情急之下，她掐指急算烏紇的吉凶，「進坎位！」心裡不禁一陣絕望，這個土匪禍頭子若聽得懂坎位在哪兒，她的名字可以倒過來寫了……

沒想到烏紇居然敏捷無誤的踏坎，正好進入一片竹林陰影下，也就那麼巧，宮主將臉朝東一別，剛好忽略了過去。

呃……好吧，名字倒著寫就倒著寫，起碼命還在就是了。麗郭又掐指算，附在烏紇的耳邊輕輕說：「入乾，退震，進離……」

他們居然靠著麗郭驚人的神算，一點一點的脫離了無色天宮主的追殺範圍。無色天宮主環顧四周，內心越來越怒。原本近在咫尺，居然只是一轉眼，就不見了他們的蹤跡。

她頓住身形，發出長嘯，一聲聲運滿上乘內力的長嘯驚得林鳥紛紛倒地，方圓十里內的蟲蚋無一倖存。

烏紇仗著雄厚的內力勉強可以支撐，但也亂了腳步，若不是及時抱住麗郭，頭昏腦脹的她險些翻到山溝裡去。

失了神算護身，無色天宮主獰笑著衝了過來，眼見他們倆就要命喪黃泉——

「周憐兒，且慢！」眼前直冒金星的麗郭情急之下，喊了出來。她受了無色天宮主這記音波攻勢，已經損了內息，忍不住吐了口血。

烏紇見她咳血，雙眼赤紅，就要衝上前拚命，麗郭卻緊緊的揪住他，不住擺手。

無色天宮主愣在原地。她的名字天下只有兩個人知道——原爲無色天宮主的師父讓她給殺了，奪了宮主之位；另一個……另一個就是……

「妳怎麼知道我的名字?!」她厲聲問，逼近了幾步。

麗郭大咳幾聲，去了瘀血，內息順暢多了，她冷靜下來，「果然是周憐兒前輩。我姓林，乃是林意玄的孫女——」

「施聆風那賤人的逆種?!」周憐兒眼中出現熾烈的恨意，像是恨不得將麗郭碎屍萬段。

麗郭輕嘆一口氣，「前輩與祖父母的恩怨，晚輩不敢多言。只是人亡債散，祖父過世已久——」

「什麼?!」周憐兒面色蒼白若紙，「妳胡說！林郎哪有如此短命?!他……他……他還沒告訴我……告訴我……」這個一代女魔頭，教人聞風喪膽的無色天宮主，居然渾身簌簌發抖，搖搖欲墜。

「祖父的確有話告知前輩。」麗郭趁隙從懷中取出一張絹紙，「晚輩尋覓前輩已久，奈何探子回報時已然氣絕身亡。祖父臨終時對前輩念念不忘，交代晚輩定要尋到前輩，以了一生之憾……」

麗郭咳著，顫著手想要遞給周憐兒，卻一個不小心讓絹紙脫手而出，輕飄飄的往山溝裡飄去。

周憐兒讓情孽糾纏了半生，之所以閉關二十年，就是爲了苦思如何破解龍行拳法。當年少林的不語掌門爲林家出頭，將她殺得重傷而敗，又破例收了施聆風爲少林俗家弟子，傳了這套拳法。

數十年來，她每每往林家尋隙，總是慘敗在龍行拳法之下，好不容易閉關有成，卻驚聞她情孽所繫的那個男人已死，死前猶對她念念不忘……

她飛撲入山溝，追逐那翩翩如蝶的絹紙。

「那是妳寫給我的藥方吧？」三言兩語便讓周憐兒自己跳崖，烏紇看到傻眼。

麗郭拍他的頭，「逃啊！此刻不逃，等她發現再追上來殺嗎?!」

烏紇讓她這險招驚出一身冷汗，扛著她沒命的往前逃。

麗郭掐指算了半天，不禁疑惑，「奇怪，只有坤位是生門……陷空鬼角乃吉？陷空怎麼會吉呢……哇呀～～」

猛往坤位飛逃的烏紇腳底一空，居然乒乒乓乓的摔進一個地洞裡。雖然有烏紇當肉墊，麗郭額頭上還是跌出兩個腫包，她抱著腦袋暗暗發火，抬頭看著周圍密實的長草。

這洞原本是地上的一個大坑，周圍的草長長了，積了落葉，又疊上長草，居然看起來和周圍無異。

那廂，周憐兒撈到了那張絹紙，發現是張行血活肌的藥方，氣得幾乎發狂，一路追了過來。

她輕功絕佳，堪稱可以草上飛，居然從這大坑上飛掠而過，沒有發現那兩個人在坑底跌成一堆。

屏息聽得周憐兒憤怒的嘯聲去得遠了，麗郭無力的揉著自己額角。好樣的，剛好對稱的跌了兩個腫包，說是鬼角也有幾分像……

原來陷空鬼角乃吉，是這樣的「吉」法！

烏紇齜牙咧嘴的坐直，額上也是兩個腫大的「鬼角」。「妳知道這裡有個坑？」知道也不通知一下，太沒有義氣了！

「若是知道，我會讓自己跌出兩隻角嗎？」麗郭沒好氣的指著自己額頭。

她無力的癱靠在烏紇身上，已經沒力氣去想什麼男女之防了，差點就沒命了，還防什麼防！

「妳怎麼知道她是無色天宮主？」經過剛剛絹紙那一著，烏紇已經不相信她有這麼神機妙算了。

「我當然不知道啊。」麗郭大剌剌的回答，「但是無色天中最大的不是宮主嗎？人呢，都是愛人捧的，妳把個小宮女捧成宮主，她當然樂不可支，高興起來就疏於防範啦。只是我沒想到運氣這麼好，一下子就中了……」她呻吟了一聲。

「該不會連她的名字……」烏紇開始毛骨悚然，「連她的名字也是賭出來的吧？」

「正解。」麗郭有氣無力的對他比了比大拇指，「整個無色天裡我只知道一個人的閨名。在我出生前，據說她還年年在我爺爺、奶奶大婚那天來鬧事。你想想，到別人家鬧事幾十年，誰會不知道她的名字啊……只是我沒想到她會是無色天宮主罷了。」

烏紇長嘆一聲，自命機智聰明的他有些挫敗。面對這個膽大包天的鬼醫，他也只能甘拜下風。

「妳這麼神機妙算，居然也算不到自己的劫數。」他喃喃著。

「我要算得到，會被你綁來綁去的？」麗郭瞪了他一眼，「你當卜算有那麼神？就算再厲害，也算不到自己的吉凶。」

「但是剛剛……」烏紇張目結舌。剛剛她不是掐算出吉位，讓他們死裡逃生嗎？

「剛剛我是算你的吉凶！」麗郭懶洋洋的靠在他身上，「你忘了？當初替你義父卜算的時候，也問了你的八字……」

她心裡突然湧現疑惑。論理，烏紇若是孤兒，八字不可能這麼準的——撿來的孩子哪有準確八字？八字這玩意兒，失之毫釐，差之千里，原本她也是死馬當活馬醫，沒料到會這麼準確。再細想烏老英雄的命格——千里救孤雛……

除非……烏老英雄認識鳥人的父母。

「你眞是孤兒？」麗郭眼裡寫滿不相信。

烏紇沉默了一會兒，含糊的回答，「我是義父從狼口救下來的嬰兒，當然是孤兒。」

這話語閃爍，鬼才信呢。「最好是啦……如果是，你們烏家堡的人怎麼會殺自己的少主？那個什麼管家的，面貌清正，乃是忠心耿耿、大義之相，總不會因爲你身有帝骨就——」麗郭發現自己說漏了嘴，趕緊閉上。

「妳胡說！」烏紇氣急敗壞的握著她的肩膀猛搖，「我不是！我才沒有什麼帝骨，我是烏家堡的烏紇！我只是馬賊，我只想當馬賊！我不是什麼回紇的——」

被搖得頭昏眼花的麗郭叫了起來，「烏大爺！你饒了我吧～～我骨頭都讓你搖散了～～」她吼著給他一拳，低頭尋思。

帝骨、千里救孤雛、賀蘭山。賀蘭山是什麼部落爲尊？又是誰盤據著呢？她突然想起來家裡跟父親喝茶聊天的守邊將軍提過，邊境安靜了這些年，就因爲三十年前回紇可汗被刺，皇子下落不明，各部落征戰不已，大唐才得以安定邊關……

推算烏紇的年紀、八字、相貌，居然樣樣吻合，她不禁驚出一身冷汗。

「你是回紇的……皇子？」

「不是！」烏紇握緊了拳，將臉倔強的一別。「絕對不是！我是孤兒，是我義父的孩子！」

完蛋了，居然讓她猜中了！她可不可以不要這麼冰雪聰明啊……麗郭抱住腦袋，頹喪地說不出話來。

「我跟你沒有關係喔，一點點都沒有……」她趕緊撇清。

心情正壞的烏紇冷笑一聲，「沒關係是吧？那好，烏某告辭了。」作勢要走。

「喂喂喂，你等等！」麗郭拽住他的袖子，「你要把我撇下？萬一那個周憐兒追來的話怎麼辦？」可憐她除了一點小巧功夫和醫毒，可是半點撇步也沒有！

「烏某跟妳沒關係不是嗎？」烏紇很踐的鼻孔朝天。

「喂喂，我可是救了你的命啊！」她氣急敗壞的討恩情。

「可不是？鬼醫大人，但妳不也要了診金？」他哼哼冷笑，「烏某從今以後不會在妳面前出現了。」

這個該死的鳥人！麗郭恨不得咬他兩口，可看他皮粗肉厚，像是咬得下去的樣子嗎？還是下兩把毒實在……可憐她身邊一點材料也沒有，費盡苦心合的奪香散又浪費去救了這個忘恩負義的鳥人！

「我還沒跟你算把我當狗鍊起來的帳呢！」麗郭氣得握緊拳頭，「你這鳥人！」

「鬼醫大人，妳若打得過我，也可以如法炮製。」烏紇笑得不懷好意。

「欺負弱質女流算什麼英雄好漢啊?!」麗郭揮舞著拳頭，「你把我綁了來，就得平平安安的把我送回去！」

「我是馬賊，」烏紇笑得很壞，「不是英雄好漢。要我保妳平安，倒也是可以的……」

「哦？」麗郭遲疑的看著他。

「妳隨我回烏家堡，治好了我義父，我保證一定平安送妳回濟南。」他拍胸脯擔保。

麗郭怔怔的看著他，差點氣得當場把血給噴出來。喂！到底懂不懂「恩」字怎麼寫啊？江湖人不是都義薄雲天？她這樣一個嬌弱姑娘冒著被砍的危險，死拖活拉的將他拖上馬車逃亡，還不收一毛診金替他療毒欸！

瞧瞧，這個該死的鳥人是怎麼對待她的?!

「你這鳥人！」她終於怒吼出來。

烏紇清了清耳朵，「不要？看來鬼醫大人是不需要烏某這三腳貓功夫的護衛了，烏某這就告辭——」

「等等，你等等！」麗郭咬牙切齒的瞪著他，心裡盤算著，若是自己回濟南，先別管自己分不分得清東南西北，她身無分文，一個孤身女子在這混亂世道，還不知道能不能捱到麗剛尋來。

更不要提那催命閻羅似的周憐兒，想必定在濟南必經之路堵她，搞不好她還沒見到麗剛，就成了路邊無名荒塚了。

呿，且先依了他。賀蘭山還遠著哩，她就不相信遇不到城鎮，尋不著暗黑武林的幫派。只要一接上頭，就會有大隊人馬前來保護，最少也能捱到麗剛來救。

「去就去。」麗郭一臉犧牲的模樣，「醫者父母心，眞的讓令尊這樣捱病，我身爲醫家，也是不忍心。」

最好是醫者父母心！烏紇覷著她。若不是周憐兒嚇破了她的膽，她又怎麼肯乖乖跟著來？恐怕是跟到城鎮可以送訊，這就說聲再見溜了。

哼，再來就是各顯神通了。

烏紇心裡冷笑幾聲，「如此甚好，烏某先替義父謝過鬼醫大人了。」

這傢伙答應得這麼順，反而讓麗郭有些不安。但是舉目無親，除了跟他走，現在又能怎麼辦？

總得讓她手頭有些防人的材料，才能離開這煞星！

兩個聰明絕頂的男女，各懷鬼胎的嘿嘿直笑，心裡各是一番算計。

等離開那荒山，他們終於到了一個極小的荒村，詢問之下，麗郭不禁氣餒。她匆忙間趕車趕錯方向，竟離賀蘭山更近了，濟南已在千山萬水之外。

這荒村沒有大夫，連馬也沒幾匹，都是些耕田瘦到見骨、年紀搞不好比她還大的老馬。

破破落落的一個小藥舖，什麼藥都不齊，倒是民間尋常草藥一串串的吊在門口曬乾，還兼賣莊稼種子哩。

烏紇還有點碎銀，買了兩匹瘦馬，而她這倒楣的大夫，巧婦難爲無米之炊，看著七零八落的藥材，連醫人都沒把握，還下毒哩。

萬般無奈，她合了幾味尋常的迷藥和毒藥，怕是毒毒老鼠還見效，眞遇到武林高手……只好給他們當點心吧。

「舖裡有沒有銀針？」她有氣無力的問。

藥舖老闆一臉茫然，「銀針？什麼銀針？若是姑娘家用的繡花針，鐵匠那兒是有賣的。」

麗郭垂下肩膀，無力的擺擺手，逕自往鐵匠舖子去了。

等鐵匠把大大小小的針拿出來，她當眞是無語問蒼天。

要不就是尋常繡花針，長些的自然有，不過卻是務農人家縫麻布袋用的，粗得跟筷子一樣。總不會要她拿著這種「銀針」戳病家吧？

她這才發現，自己過去過得太好了，如今一落難，簡直就像沒了手腳。

麗郭勉強挑了把繡花針，一摸懷裡，她身無分文，正尷尬著，還是烏紇過來幫她結了帳。

唉……當眞是一文錢逼死一條好漢啊！

鐵匠接過一方碎銀，倒是傻眼了，他不敢相信的咬了咬銀子，長這麼大，連銅錢也見不到幾串，何況是這麼大一錠銀子！

鐵匠歡喜得連聲喊坐，又呼來娘子倒茶。

奔波了半日，兩人著實也渴了，也就老實不客氣的坐下來。

只見鐵匠的妻子帶了個面黃肌瘦的小孩，提了壺茶過來，麗郭細細觀察孩子的模樣，又摸了摸他的肚子。

「這孩子肚裡有蟲，怎麼放著不醫治呢？」

鐵匠夫妻互望了一眼，不禁大驚，「姑娘會醫？咱們就這個孩子……從小就這樣兒，大夫也不知道看過多少了……只是您知道，我們這窮地方，哪有什麼好大夫？鄰近幾個村的大夫都看過了，就是不見效……」說著說著，鐵匠妻子哭了起來。

不過就是尋常蛔蟲，居然拖了這般久！

麗郭不禁觸動了心腸，皺緊了眉，心裡忖度了會兒，「只要雷丸三錢、使君子三錢，五碗水熬成一碗，就可以把蟲打下來了。只是他這病根久了，這樣猛打，怕孩子受不住。我開個藥方，你到藥舖抓藥去，以後別赤著腳亂跑了，免得讓細蟲子鑽腳。」

開完藥方子，她也不甚掛懷，喝完了茶就跟著烏紇告辭。

「倒沒想到鬼醫也有副好心腸。」靜靜看著的烏紇笑了笑。

「不過寫幾個字兒，舉手之勞而已。」麗郭不太自然的回了嘴，走回荒村裡唯一的宿店。

原本想歇一夜就走，沒想到第二天，天未亮就讓激動的鐵匠給敲開了門。

「莫非我藥方有誤？」麗郭瞬間清醒了，緊張起來。

「不是不是……」鐵匠慌著跪下來磕頭，「大仙！仙子！我兒瀉了一夜，蟲都打下來了！這些天可憐他都飲食不進，今早終於嚷了餓，吃了兩大碗粥了！我們楊家一脈單傳，多謝仙子大恩大德啊～～」

「仙子救命啊～～」街坊鄰居都湧了上來，紛紛帶著孩子磕頭，「咱們家的孩子也煩您看看……救命啊，救命啊……」

麗郭直了眼，不過是尋常到不能再尋常的藥方罷了，隨便林家哪個藥務生都開得出來，何況是一個大夫？

但是這窮鄉僻壤，又怎麼會有大夫呢？

她望著這些樸實村民，眼眶有些泛紅，心裡卻是爲難。

「各位街坊請起。」她斯文的福了福，「小女子略通醫術而已，若只是打蟲，跟鐵匠老哥拿藥方就是了。若是其他病症……我就實話說了吧，我們惹了個難惹的對手，若是在此久留，恐怕對諸位不利，所以非趕緊啓程不可。」

若是周憐兒尋來，這荒村恐怕要毀了。

村人面面相覷，「仙子，你們可是從山裡那個驛站過來的？」

麗郭和烏紇驚訝的對看一眼，「正是。」

鐵匠低下頭，「啊呀，誰不好惹，怎偏去惹到劍仙呢？官爺們就是惹到劍仙，這才死得如此慘……不過不怕，咱們都有拜她老人家，她是庇護我們的。」

麗郭詢問了會兒，這才明白那個驛站怎麼會荒廢。原來當年心有不甘的周憐兒選了那座荒山閉關，偏偏官府在那兒開了驛站，日夜吵嚷，惹惱了她，乾脆毒死了大半。

這群善良的窮苦人家還天真的相信，只要誠心祭拜，劍仙就不會作祟。

她張了張嘴，卻又閉上了。他們……他們需要的不是祭拜劍仙，而是一個眞的能治病的大夫啊！

「這樣吧，我只看一個早上。」麗郭下定決心。

烏紇卻不贊同，「麗郭姑娘！」

「一個早上而已。」麗郭悲憫的看看那群面黃肌瘦的孩子，「趁我幫人看病的時候，問問村裡會讀書寫字的人，有沒有願意到濟南學醫的？我可以引薦他到濟南林氏醫館。這村，也是該有個大夫了。」

烏紇嘆了口氣，不再反對。

這眞的是很險的一著。他們在這村裡滯留一天，已經是情非得已。周憐兒大約會花上一整天搜山，等搜不出結果，必定會下山來，而第一個目標定是這個最近的荒村。

麗郭的慈心……眞眞會害死她的。

這個心口不一的姑娘，眞是令人莫可奈何呀。

瞥了眼焦心的烏紇，麗郭嘆息，「你想些什麼，我都知道。但是……我娘說過，只要盡力一點點，一點點就夠了，世間可以少個不平人，就可以將這點恩慈傳下去。」

只是，麗郭的一念之慈，換來了一場即將來臨的惡鬥。

原本答應只看一個早上的她，卻一直醫治到日影偏西。

不遠處的黃土路上，出現了一抹飄然的雪白倩影。

累了一天的麗郭，抹去臉上的汗，因爲那催命的香氣而抬起頭。她心裡有淡淡的後悔，和大勢已去的寧定。

「烏大爺，我大概去不了賀蘭山了……」她語氣平靜而絕望，環顧無辜且半點武藝都不會的病家，她實在不想牽累這麼多人。「你走吧。」

村民騷動起來，「是劍仙！劍仙瘟娘娘來了～～」家家戶戶哆嗦著擺出香案和楊柳枝。

「我不走。」烏紇一臉不在乎，「妳還得跟我去賀蘭山當押寨夫人哩。」

啊？麗郭瞪直了眼。為什麼……為什麼會從「大夫」變成「押寨夫人」？

趁她發愣的時候，烏紇走上前，擋住了周憐兒的去路。

「沒想到……媚香和攝心大法對你沒用啊？」周憐兒艷紅的唇露出狐媚的妖笑。

「我的師父很多……二師父怕我讓壞女人拐了，教了我不少防範的功夫。」烏紇聳了聳肩。

「好厲害的師父。」她靈動的媚眼流轉著妖氣，「就不知有沒有教出厲害的徒兒……」

話未停歇，她已經疾攻過來，烏紇的臉上瞬間出現了一道血痕。

第七章

偏西的夕陽像是染了血，遍染雲霞，映得烏紇臉上的血痕閃閃。

但是，周憐兒卻收起了嬉笑之色，臉色凝重到有些猙獰，「龍行拳法？」她肩膀雪白的肌膚上烙了一道烏黑的掌印。

少林至陽至剛的龍行拳法正是無色天的剋星，內息反制，雖然烏紇的手掌並沒有異狀，但是對周憐兒來說，像是在她身上灌滿了相剋的毒一樣。

只是那抹烏黑掌印瞬息就消匿了，周憐兒冷笑，「你當我還是當年的周憐兒嗎？我才不怕少林寺！」她纖纖玉指箕張，飄忽而至，正是她閉關苦心鑽研的飄荷落英指。

尚未近身，烏紇的手臂又是一條血痕，破碎的衣衫在風裡飄蕩。他卻看也不看傷處，送出一掌龍行不悔，竟逼住了神妙無比的飄荷落英指。

只見一道雪白的倩影和健壯的黑衣漢子宛如對舞，滿天洶湧雲霞似海，氣象萬千，掌風交錯，惹得人人衣袂翩翩；內息激盪，身在其中的烏紇和周憐兒像是處於狂風之中，袖影翻飛。

外人看來只覺得烏紇居然和這位名震江湖的女魔頭戰了個平分秋色，只有麗郭心如油煎。論修為，烏紇遠遠不及周憐兒；論招數精妙，龍行掌法或許曾剋過周憐兒，眼下卻遠不敵周憐兒苦心練出來的飄荷落英指。

現下可以打個難分難捨，實在是周憐兒尚未掌握飄荷落英指的奧妙，兼之烏紇仗著強壯過人的體魄，硬碰硬的猛打。

只見烏紇身上的血痕越來越多，整個人像是浴血一般。

可他卻越傷越勇，仰首發出驚人的戰嚎，衣衫早讓飄荷落英指撕個破破爛爛，他索性使勁撕裂了殘衫，露出精壯勇猛的胸膛，赤著上身，又是一聲戰嚎。

麗郭面如白紙，她驚呼，「不要！烏紇！不要啊～～」

雖然她武藝平常，但家學淵源讓她眼界甚廣，她知道龍行拳法有個同歸於盡的招數，以自己內息引爆對方的內息，就叫做「龍嘯九天」。這個悲壯的招數，就是以長嘯開始的。

她急急的奔上前，不禁深恨自己沒學好輕功，不過是幾步路，為什麼這麼長？烏紇卻只瞥了她一眼，微微一笑，發了一招龍行不悔，接著就是龍嘯九天，電光石火間，他和周憐兒各自在對方胸口按了一掌。

他被周憐兒這掌打飛出去，撞破了民居的土牆。周憐兒也沒好受到哪兒去，她退後了兩步，臉色慘白，內息紊亂，好一會兒才吐出一口血。

麗郭根本顧不得怕她，只是含著眼淚衝進民居，急著將烏紇身上的石塊土沙撥開，只見他入氣少、出氣多，看樣子是不行了。

「烏紇，烏紇！」她的淚奪眶而出，「你這鳥人！逞什麼能？叫你走，你怎麼不走呢？天下多少大夫……又不缺我這一個！」

一摸懷裡，只有一包繡花針，顧不得合不合用，她忙著金針度命，就怕要來不及了。

烏紇疲憊的抬了抬眼皮，心裡有些安慰她不太懂武。現在是怎麼了……他烏紇居然會爲個女人拚足了命……

他擠出最後一點力氣，抬手虛劃了一招龍行不悔。

沒想到麗郭居然瞪著他，眼淚撲簌簌的流下來，「不悔？你還不悔？你怎麼可以不悔？我又不是你的誰，你憑什麼對我悔不悔的？呼吸！你給我呼吸！不准昏倒，不能昏！我們的帳還沒算完呢……還沒有完哪……」

「不用擔心……」周憐兒擦了擦嘴角的血，猙獰的從崩塌的土牆進來，「我馬上送你們一起上路……最少可以死在一塊兒是不？這就成全你們……」

麗郭轉頭，臉孔鐵青。「我這兒有病家，妳這閒雜人等進來做什麼?!給我滾！」

周憐兒見她杏眼圓睜，春威內蘊，雖是女子，卻有男人都及不上的氣概，和那個人……那個她愛了半輩子的男人，竟是那麼的像。

周憐兒的掌懸在半空中，遲遲沒有落下。

也是這樣的夏末傍晚，她追殺惹惱了她的施聆風。江湖上只能有一個第一美人，不能有任何女人比她美！就算跟她差不多也不可以！

但是，他卻擋在施聆風的身前。不過是個書生大夫罷了，卻豎起他斯文的眼眉，「尋我的病家何事？我這是醫館，恩怨門外丟。姑娘，瞧妳也相貌端莊，不似惡徒，何苦拔劍就要殺人？請出去吧！」

望著施聆風柔弱的讓他護著，她居然……希望讓人追殺的是她周憐兒。

爲了他這句話，她終生不再用劍。

但是……她滿腔愛慕得到了什麼？林郎居然選了那個手下敗將施聆風！同樣是江湖人，少林寺居然爲她出頭……那她呢？誰爲她這悲戀孤苦的女子出頭？

該和林郎結爲連理的不是施聆風，而是她！該爲他生兒育女的該是她，不該是施聆風！論相貌、論女紅針黹、論詩詞歌賦、論武藝，她樣樣都比施聆風強，就只是……

只是那個時候，受傷的是施聆風，不是她，林郎才因憐生愛，選擇了她。

根本不該是這個樣子的！

周憐兒的臉色轉怒，「不該是這個樣子的……妳不該出生，也不該有妳爹！該有的是林郎和我的孩子，我們的孫兒！不該是我漂泊江湖，心傷半生……不應該是我！」

麗郭見她發愣了一會兒，又轉瘋狂，心知此劫難度。

「不該是妳又該是誰？」她豁出去了，「我祖母武藝又高，俠名在外，爽朗好相處，又不包藏禍心。哪個男人會愛上妳這種蛇蠍心腸的女子？就算再美也只是薄薄那層皮！」

周憐兒暴怒，一掌就要劈死這出言不遜的孽種，乍聞腦後風響，她回手一掌，迎面而來卻又是龍行拳法。

「哪來那麼多的禿驢?!」她躍出民居外，受傷已教她惱恨，又讓麗郭激得差點氣脈逆流，偏偏又有人干擾她殺人！

今日她殺意大起，就要血洗整個村子了。

只見民居外，沉默的列著幾名黑衣人，胸口繡了個「烏」字，而出手的正是烏家堡的大管家。

「前輩，鬼醫乃是我烏家堡的客人。」大管家平和的看著眼冒兇光的周憐兒。

「你們還是可以邀她去作客，」周憐兒嫵媚的一笑，「反正你們很快就要在陰曹地府相見了。」話語未止，她的手已經穿過一個黑衣人的胸口，那人連哼都還來不及哼，就已經斷氣。

見同伴倒下，烏家堡的堡丁卻一絲動搖也無。

「無色天？」大管家皺眉驚訝，旋即鎮靜下來。「擺陣！」

堡丁訓練有素的各安方位，拉開陣式。

周憐兒冷笑，一入陣內，才驚覺不對。

這陣按五行八卦陣列，堡丁所使皆爲龍行拳法，雖只會五式，卻進退得宜，攻守兼備，滔滔滾滾，宛如長江大浪，人力莫之能禦。

若是平日，周憐兒必定能破，但是她中了烏紇的龍嘯九天，內息大傷，反而被這陣法困住，東衝西撞，只見黃沙滾滾，幢幢人影，竟是一陣暈眩。

好厲害的陣法……恐是高人指點，又多日推演而成。她負傷甚重，不欲久戰，竟讓她撞破生門逃逸而去。

大管家止住了陣法，心裡也萬分訝異。這陣原本就是爲了剋制無色天而設計的，多年前烏堡主和無色天有嫌隙，心恐無色天尋仇，苦心推演了這套陣法，又得烏紇的大師父所助，傳了龍行五式。

原以爲天衣無縫，居然還是被識破生門逃逸了，看來還需重新推算才是。

他沉吟片刻，吩咐堡丁候命，逕自走進民居。

麗郭正在盡力救治昏迷的烏紇，見到大管家，她不畏也不懼，只是護在烏紇身邊。

「鬼醫大人，煩請到烏家堡作客。」大管家瞥了眼面色如紙的烏紇。雖然少主留不得，但是從小撫養到大，心下也是一陣難過。「烏堡主情況危急，還望妳

──」

「我本來就是要去烏家堡的。」麗郭神情淡漠，「待我的病家癒可，這就啟程。」

「少主……不能醫。」他別開眼，不忍看那張熟悉的臉孔。

「就因為他是回紇的皇子？」麗郭笑了一聲，「還是他身有帝骨？抑或是……烏老英雄殺了他的父母？」

大管家猛抬頭，眼中寫滿錯愕，「他……他果然都知道了……」掄掌就要劈向烏紇的頭顱。

麗郭發出三根繡花針，逼開了大管家的掌，厲聲道：「你敢動手?!你若動手，我保證讓你烏家堡的人都橫著出村去！就算拚掉我這條命也在所不惜！」

「鬼醫，妳也是大唐兒女，忍心見壓境大禍而來？」大管家急了，「當初謀刺回紇可汗，實非得已，這是止住戰端最快的法子了！烏將軍一肩扛下所有的罪孽，棄官而走，若不是這回紇皇子還小，他早已自刎謝君恩！就是回紇可汗被刺身亡，回紇亂了這麼多年，邊關才安定下來……」

「他是烏紇，是烏老英雄的義子！」麗郭察言觀色，「烏老英雄就算自己死也不會殺自己孩子，不是嗎？若要殺他，又何必撫養他這麼多年，教他讀書識字，教他上乘武功，四處延師？他們父子倆很親愛啊……就算你這個大管家要殺他，烏紇也沒有半句怨言……」

大管家不禁動搖了，可一細思又轉爲剛硬，「當初我阻止過烏將軍的。這孩子若長大了，必成禍害！」

「禍不禍害不是你我決定的！就算略知天命又如何？我命由我不由天！」麗郭豎起兩道柳眉，分外的英氣凜然。

大管家不願再談這令他傷痛的事情，「鬼醫，妳又何苦這樣維護綁架妳的異族？」

「因爲這個異族他拚了命來爲我。」麗郭戒備的夾著繡花針，「寶劍贈烈士，紅顏酬知己，我也當拚了我的命來爲他！」

「妳不瞭解，他沒有對妳坦白……」大管家頹喪的抹了抹臉，「他和回紇的人密談過了。回紇亂了這許多年，正待他這個正統皇子回去統一。殺父母的血海深仇，豈能不報？他是我教養出來的，我最清楚……」他的聲音越來越低、越來越低，「他這樣雄才大略，豈是一方馬賊而已？更不要提他面有帝相，未來必是大唐的煞星……」

麗郭垂下眼瞼，「大管家，一切都只是你的臆測而已。你瞧瞧，他傷成這樣，還不知道有沒有明天呢……就不能讓我略盡綿薄之力？好歹都是父子一場，你忍心他見不到父親最後一面？」說完，竟是默默垂淚。

大管家也是心如刀割，忍不住老淚縱橫。雖說當初極力反對烏將軍收養烏紇，但是孩子總是孩子啊……他當烏將軍的軍師，一生忠心耿耿，誤了婚姻，真是把烏紇當自己孩子看待了。聽鬼醫的話，烏紇似乎是日子不久了，他忍不住悲痛起來。

無力的擺擺手，大管家走了出去，背影像是蒼老了許多。

等大管家走了出去，麗郭低頭看著烏紇，果然發現他早就醒了。她不禁有些臉紅，不知道他是幾時醒的……

「管家叔叔進來的時候，我就醒了。」烏紇輕描淡寫，運作內息，不禁苦笑。他原本抱著玉石俱焚的念頭，沒想到這樣沉重的內傷，居然還留了條命在。

麗郭張目結舌，若有地洞可以鑽，她早就鑽了。想想自己說了那麼多令人臉紅的話，這這這……

「我、我純粹只為義，可沒別的念頭……」她連忙撇清，「士為知己者死，你都這麼配合了，我當然也——」

「這下我成了妳的知己啦？也不錯……」他重咳幾聲，吐出黝黑的血塊，心頭又沉下幾分。

見他吐出這樣的烏血，可見內傷沉重到牽連了五臟六腑。她手邊沒足夠的藥方，連銀針都得用繡花針代替，眼下他傷勢沉重不能移動，說真的，她沒半分把握。

「你可別小看我，我可是『鬼醫死要錢』呢！」麗郭勉強打起精神，「我的醫術也只輸我爹一些些，閻王要人三更死，我偏留他五十壽。你筋骨強壯，底子又好，這點小傷不會怎樣的，真讓你怎樣了……我、我摘了牌子，這輩子不行醫了！」

想想他的奮不顧身，她心裡一陣酸痛，不禁又哭了起來，「你是怎麼了？就算沒了我這個大夫，有錢哪裡尋不到好大夫去？你要知道，命裡得醫才醫得病。我已替你卜過卦，你爹的病雖險，卻自有貴人，你犯得著這麼拚嗎？還是爲了你這身世，你就打算把命送了乾淨？男子漢大丈夫，這麼點難關都過不去，輕易的拋了性命，算什麼呢?!」

她邊哭邊數落，一面往他身上扎繡花針。

「爲了妳把命拚掉了，倒也值得。」烏紇勉強的笑了笑。

「有什麼值得呢？」她不敢停手，將眼淚往肩頭狠狠抹去。

「我以爲，這輩子我是不想娶妻了……塞外姑娘憨直，沒趣；中原姑娘扭捏得緊，沒趣。偏偏我遇著了妳……」

他突然開始怕死，若是死了……她的眼淚怕是停不了了，他怕這淚的。「我不說了，妳別哭……咱們是知己，有誰比妳更懂我，又有誰比我更懂妳呢？咱們不用多說話，也懂彼此心思的，莫哭了……我這兒疼……」他顧不得身上密密麻麻的針，指了指心窩。

麗郭一下子停了眼淚，突然著慌起來。可憐她聰明機智，遇到情關卻和尋常姑娘家沒有兩樣。這一路上惱他、氣他、恨他，實際上也不得不佩服他、欣賞他。獨個兒心思敏捷是很寂寞的，總覺得除了家裡姊妹，天下無人懂得。好不容易遇上了旗鼓相當的對手，不由得起了惺惺相惜之感，偏又知道了他的身世……又是憐他嘆他；又蒙他捨身相救，終究是自己任性累了他性命……

屢次起腳要離開，終究是躊躇不去。她這生……可還走得開？

心上像是吊了十五個水桶，七上八下，似憂似喜，竟不知道是怎樣的滋味。

「你……你別說了，我都知道。你這烏人，你這可惡的馬賊！」她哽咽著，眼淚流得更兇，「你綁我的人就算了，連我的……連我的……都綁走了！你真是可惡，太可惡了！你敢這麼一死了之試試看……我陰曹地府也不饒你的……」

烏紇好半天不言語，「……我怕，妳會後悔呢……如果我告訴妳，我一點也不想替我的親生父母報仇呢？」這是他放在內心逃避很久的痛苦，只要一想起來，就像是火燙的傷，包著膿血，痛苦不堪。「我是懦夫？我不忠不孝？居然一點也不想替我親生父母報仇……」

他虎目含淚，「我知道義父是不得已的……因爲我的親娘是他的妹妹，他再三勸我生父別起戰端，但是我的父親卻只夢想天下皆爲回紇牧馬地……這些事情聽起來多麼遙遠，我連父母的長相都不知道，但是我知道義父的長相，義父和我相處的每一天都宛如在眼前……要怎麼爲了長相也不知道的所謂父母，殺害撫養我至今的義父？我只想當烏家堡的烏紇，一點也不想當回紇的皇子……

「雖然……回紇的長老尋來了，就算……就算他們要迎我回去當可汗，我也不希罕的！我只想當我的馬賊，我只想留在烏家堡……我是烏家堡的人，生生世世都是烏家堡的人！更何況……義父事實上是我舅舅，血緣加上養育之情，我恨不了他，恨不了他啊……」

漢人最重節義，怕是麗郭要瞧他不起了吧？烏紇別開臉，不想看到她鄙夷的神情。

麗郭卻堅定的將他的臉扳過來，眼神清澄的看著他，「我是瞧不起——如果你殺了你義父的話。殺了你義父就可報父母深仇？那你用什麼報答他的養育之恩？殺了你義父，你父母可起死回生嗎？你父親手下從無枉死冤魂嗎？冤冤相報，要到何日方休？你瞧，我懂你的，但是你還不夠懂我呢……」

她厲聲續道，「你欠我可多了呢！烏大爺！咱們是很該算一算，我『鬼醫死要錢』還沒要不到的帳！你這條命的診金可是貴得很！」

讓她這樣一兇，烏紇反而笑了起來，滿腔的愁緒居然煙消霧散。「我欠妳眞的欠很多了……我一定……好起來，讓妳慢慢算……慢慢算……」

歷經千辛萬苦，謝必安終於潛入了荒村。他乃是京畿總捕燕無拘的副手兄弟，而這燕無拘正是林家四妹麗剛的相公。

雖然說人口失蹤不歸他們京城捕快管，但是大嫂都開口了，他又正好北上辦事，也就順便查上一查。原本是查山間驛站的離奇瘟疫案的，怎知讓他誤打誤撞的發現了鬼醫的行蹤。

嘖，她們林家的姑娘也眞是的。老四麗剛是俠盜神隱就夠嚇人了，沒想到三小姐林麗郭居然是赫赫有名的「鬼醫死要錢」。他實在不敢去探聽林家大姊、二姊幹些什麼勾當——怕自己的心臟受不了。

他靠著易容喬裝，一路小心翼翼，終於尋到了鬼醫房裡。一看左右無人，除了麗郭，只有床上一個面如白紙、昏迷不醒的病人。謝必安記憶過人，記得他正是關外有名的馬賊烏紇。

欸？麗郭姑娘不是讓這人給綁了嗎？怎麼這馬賊半死不活的躺著，麗郭姑娘還照看著他？

「麗郭姑娘。」謝必安悄悄的喚，「且莫出聲，我不是歹人，我是京畿副總捕謝必安。神隱大嫂吩咐我們幫著找妳呢……這是神隱大嫂交給我的信物。」

麗郭凝神看了看他，接過那方碧翠的芭蕉葉，心下一寬，「麗剛呢？」

「我怕這批馬賊不日就要移防了，還沒來得及送訊呢。」謝必安瞧了瞧四周，「麗郭姑娘，我悄悄的帶著妳走，妳跟著我來——」

麗郭卻撲到他身上，「麗剛有沒有給你一些五花散防身？有沒有？有沒有?!還有沒有其他的？有沒有溫玉膏？有的話統統交出來！」

謝必安讓她嚇了一跳，怎麼像是攔路打劫的？「有有有，都有，這是大嫂給我防身的……」他肉痛無比的將那些藥瓶掏了出來。

麗郭老實不客氣的都收了下來，「謝爺，真謝了你，改明兒我送你幾斤，這些我眼下有急用。你幫我傳話給麗剛，告訴她往賀蘭山烏家堡尋我，可要快來，不然我們的性命難保了。」

謝必安傻了眼，「麗郭姑娘，妳不跟我走？」

「我這兒有病家，走不開。」她說得含含糊糊的，頰上湧起兩朵緋紅，「啊呀，說這麼多做什麼？我不能跟你走的！切記要叫麗剛來尋我，知道嗎？」

「麗郭姑娘！」謝必安急了，這下他要怎麼跟大嫂交代啊？

「什麼人?!」院子裡的護衛聽到房裡有人說話，警覺的衝了過來。

「別多說了，快走呀。」麗郭將他往窗子推，「快快快，遲了就走不脫了。」

她趕走了謝必安，整了整衫襟，奮力開了門，橫眉豎眼的罵，「吵什麼吵?!沒見到你們少主才睡下？沒聽過人說夢話嗎？」

這些堡丁天不怕、地不怕，倒是怕了這個小小的姑娘，罵人是針針到肉，還各地方言精通，罵人又不帶髒字眼，打也打不得，罵也罵不贏，遇到她眞的只想抱頭鼠竄。

結果還是讓她在門口連說帶訓的鬧個灰頭土臉，等到巡院時，就算有可疑的人，也早就無影無蹤了。

等把人都趕走了，麗郭心情有點複雜。現在她就算想走都走不開了，還好拿了一堆藥，烏紇說不定還有救。

突然想起麗剛咒她的話——

「趕明兒換妳嫁個江洋大盜，也弄個先斬後奏，那才好呢！」

唉，天道輪迴，報應不爽啊……

第八章

坐在搖搖晃晃的馬車裡，麗郭一遍遍的換著手巾，臥在軟鋪上的烏紇發著燒，終日沉睡，而麗郭自己的傷風沒有好好調養，竟是微咳不止，臉上帶著疲憊的倦容。

大管家深知此時啓程實在不妥當，但是烏家堡有訊來傳，說烏堡主似乎挺不住了，他臉上不禁多了幾分陰霾。所幸鬼醫居然沒有反對，就這樣一路疾行往賀蘭山。

鬼醫這樣合作，雖然啓人疑竇，但是見她對烏紇這樣細心看顧，衣不解帶，久經人世風霜的大管家心裡倒也雪亮著。烏紇這孩子，倒是遇到了一個好姑娘。但就算拚上自己的性命，也不能留下烏紇。

他忠心一生，任何加害堡主的可能皆要剷除，就算是自己親手撫養的孩子，也萬萬不能留。

這孩子走到盡頭，還能得到一個嫵媚多情的紅顏知己，倒也讓他略感安慰。

雖然前途多難……多難啊。他深知為了奪回鬼醫，多少中原暗黑武林高手已經埋伏在賀蘭山的必經要道，一場廝殺恐怕免不了；再加上那天脫逃的無色天宮主……

一場浩劫就要展開了。若是挺不過去，烏家堡就此煙消雲散也未可知；就算僥倖贏了，將來也種下不少禍根，多了無數仇家。

但是為了烏將軍，這一切都是值得的！身為一個熱血男兒，總要跟隨一個人品高潔、志向遠大、為所當為的明主。自從得到烏將軍的提拔以後，他的性命就已經準備為他犧牲了！

當初隨烏將軍棄官的官兵共有八百人，名為馬賊，卻屯田實邊，心繫視他們為反叛的大唐。

這麼多年來在關外隱姓埋名，收養戰後回紇孤兒，與關外兒女通婚，烏家堡儼然成了大唐編制外的一支精兵，爲了安定邊關努力了這麼多年，史官不會記上他們這筆悲壯。然而，大丈夫生於世，不是爲了那筆悲壯而已！

他默思著，馬隊已經停了下來。

滿臉病容的麗郭下了馬車，親自將藥方遞給他，「麻煩你了，這是今天我要的藥材，就請人去幫我抓藥吧。」言語間，又咳了幾聲。

「鬼醫大人，妳也多多保重。」大管家有些不忍。

麗郭擺著手，輕咳著回答，「不妨事。打小有的病根，傷風已經好了，就是咳得煩人，擾得你夜裡不能安眠了……我從小嬌貴無用，這咳得要冰糖燉梨喝上十天半個月才見效……小事兒不用掛懷。」

「冰糖燉梨乃是小事。這時節也有早梨產的，關外的梨，滋味才是好呢。等等我讓抓藥的人送上一簍，妳先回馬車安歇吧。」

麗郭用錦帕掩口，又咳了幾聲，這才福了福，回馬車去了。

嘖，要在這位醫藥算卜、五行八卦無所不知的大管家手下討生活眞難，第一天開藥方就讓他打了回票，害她以後開藥方都得仔細衡量再三。

只不過，八仙過海，各憑本事了。要論尋常藥材合毒，天下她要稱第二，沒人敢稱第一，連爹爹都比不上。她精心煉製的八寶甘味安眠散，就只差這味生梨了。

日影偏西，她望了望血色夕陽，心下竟有些不安。

回到馬車，烏紇已經醒了，眼神清澈，一點也不像傷重垂危的人。

麗郭大咳幾聲，「咳咳，眼睛閉起來……巴不得天下人都知道你好得差不多了？咳咳……」

「我躺到骨頭生水了。」烏紇低聲抱怨。

「咳咳……你敢坐起來，我就拿狗鍊把你拴在馬車上……咳咳……」麗郭也是萬般無奈，這樣假咳，就算沒病也要咳傷了嗓子。

「我就知道妳想這麼做很久了。」烏紇皺眉。

「可不是，」麗郭沒好氣的低聲道，「我的心願就是把你拴上狗鍊喊汪汪。喊兩聲來聽聽。」

「……」烏紇翻了翻白眼，轉過身面壁賭氣。

麗郭不理他，潛心掐算吉凶，算完心裡一陣沉重。此去三劫？若將周憐兒和暗黑群豪算上，也不過兩劫。第三劫當是什麼呢？

突然，催命的香氣濃重起來，她警覺的抬頭。

烏紇一骨碌的爬起來，就要揭開車帳出去。

「站住！」麗郭厲聲的將他拖回來，「你做什麼?!」

「她來了！」烏紇全身的關節緊張得格格作響，「叔叔的陣法困不了她太久——」

「她是我的問題！」麗郭死命抱住他，「是我林家的恩怨！你有那精力，能不能先潛心調息，趕緊把傷養好？若是我擋不住了，還靠你救命哪……一出手就打王牌，你還賭得大嗎?!」

他明白，完全明白……但是他怎麼能看著麗郭獨自涉險？她可是他烏紇的女人哪！

「喂，你信不過我？」麗郭兇起來，「我是那種沒本事的姑娘嗎?!」

就是太有本事了，才顯得他這男人很沒用啊！他還想掙扎，麗郭卻拉過他的頭，無預警的給了他一個柔軟的吻。

雖說心有所屬，彼此心意相通，終究還是發乎情、止乎禮，像這樣的親暱……可以說從來沒有過的。

烏紇忍不住大掌一壓，意亂情迷的汲取她的芳馨……

驀地頸上一冷，喀噠一聲，清醒過來的烏紇愕然摸著頸上的纓絡圈，只一瞬間，麗郭已經迅雷不及掩耳的將紫金鍊鎖在馬車裡的火把掛鉤上。

「麗郭！」烏紇吼了出來，卻挨了她一記點穴，再也發不出任何聲音。

「烏大爺，你好好參詳怎麼解穴吧。」滿臉霞紅的麗郭若無其事的拍拍他的臉頰，「鑰匙呢，我藏在馬車裡，慢慢找，總是找得到的。」她跳下馬車。

匆匆去找大管家，只見他立在車頂，正皺眉看著在陣裡衝撞的周憐兒，見麗郭滿臉通紅，微微嬌喘，「鬼醫大人……妳不舒服？且先安歇，待我料理了此姝——」

麗郭含糊的應一聲，「……有點兒發燒。」她凝目遠望。這陣法實在精妙無比，居然可以靠五式龍行拳法困住一甲子功力的周憐兒。

她現在有些瞭解爲何烏家堡如此有恃無恐了。這還只是數十人結成的陣法，若是數百人、數千人……就算武功再深湛的高手，恐也是有去無回。

她看著大管家指揮陣法一會兒，已經瞭解當中的玄妙。她的外公亦是當中能手，四個姊妹中，也就她略得眞傳。

憑著大管家的指揮，也只能困住周憐兒，卻不能傷她分毫，反而陣內堡丁已有死傷。

「讓我試試。」麗郭臉色凝重的向大管家說，「她是我林家多年隱憂，讓我試試看！」

大管家原要拒絕，但是觸及她堅定的眼神，不知不覺居然相信了她，將令旗遞過去，卻防備著隨時應變。

麗郭執起令旗，左右一招，陣法立刻變化莫測的動了起來，原本已經快要破解陣法的周憐兒不禁一愣。

抬頭看到車頂上的麗郭，眼中幾乎要滴出血來，「施聆風的逆種！」她不再思索如何破陣，大開大闔的硬幹，準備將堡丁殺個乾乾淨淨，強行突破。

「心亂則亡。」麗郭冷笑，「化坎入離，放陷空！」

烏家堡堡丁果然訓練有素，迅速的遵照旗號，陣法越發撲朔迷離，周憐兒居然無法撲殺陣內任何一人，身影忽隱忽現，竟像是跟幻影打架一般。

「死轉生，生轉死，陰陽逆轉！」她又揮出令旗。

撲向生門想先脫離陣法的周憐兒，又陷入了苦戰。

此女何人？大管家不禁目瞪口呆，他鑽研五行八卦、奇門遁甲已經半生，自認已經出神入化，但是這個以金針名動江湖的稚齡姑娘，看年紀不過十七，卻將他苦心推算的陣法發揮到淋漓盡致。

須知自己布陣變化乃是平常，但是指揮他人陣法困難重重，往往不知道奧妙之處。他交出令旗時已經有了敗陣的準備，憑他的武藝，要和這女魔頭一戰也未必不能，只是元氣必定大傷，怕會制不住烏紇罷了。

但是這年紀尚幼的鬼醫，卻氣定神閒的指揮若定，儼然有大將之風。

太可惜了……太可惜了！爲什麼她只是個女子？她若是男兒，大唐得此神機妙算的名將，還怕安邊無望？

「爲何妳是女子……」大管家喃喃著。

「我很高興我是女子。」麗郭手中令旗未停，「因爲我厭恨戰爭。戰爭損人命破家庭，最是下策，還有許多辦法可以消弭紛爭的，何須用戰？」

她翻轉令旗，「破！破！破！」

堡丁以身傳力，匯集了所有人的力量，憑著陣法的加成，像是一記喪鐘，無情的擊向周憐兒。她尖叫一聲，拔身而起，突破了陣法，宛如一隻嗜血的禿鷹，「我殺了妳這賤人！」竟是直撲麗郭而來！

大管家大驚失色，連忙揮掌來救，不料卻被麗郭一絆，踹下馬車。電光石火間，麗郭手心翻轉，激射銀針，周憐兒硬生生的以身接了銀針，竟準備玉石俱焚。

麗郭後退兩步，臉上帶著極媚的笑，「我就說了，這無形蠱掌學來無用。就算不使，也徒留個空門給人破解，何苦來哉呢？」

周憐兒只覺得內息空空盪盪，明明就要劃開麗郭的咽喉，卻一絲力氣也沒有，晃了兩晃，栽倒在車頂上。

「妳……妳這賤人！」她喘著，怨毒的看著麗郭，「妳居然破了我多年苦心修練的武功！」

麗郭嘆了口氣，對她福了福，「前輩，我爺爺臨終的時候的確是留了話。」

「妳以為我會再信妳的鬼話嗎?!」周憐兒吼了起來，卻是動彈不得。

「現在我已經不用騙前輩了。」麗郭聳了聳肩，「爺爺臨終的時候，跟我奶奶說：『憐兒雖然苦苦糾纏，一生情痴用錯了人，到底也是可憐，能不爲難她就別爲難她……若她不聽勸告，就用這八寶甘味安眠散破了她的武藝吧。她修練毒功，眞眞妨了她一生，若沒這武藝，憑她生得那樣好，早就有了鍾情適意的人。我沒能感悟她，反而讓她越發邪僻不近人情，想到就覺得對她過意不去……』

「爲了這番話，我奶奶可是吃了好久的醋呢。」

周憐兒怔怔的趴在車頂上，心頭不知道是什麼滋味。一生情痴，滿腔纏綿，到頭來，他終究是知道的，知道的……

若是林郎拋了施聆風跟她走，可就……可就不是她愛慕到如痴如狂的林郎了。恨只恨相遇晚了那一天半天……造就了她終生的痛楚。

「林郎……林郎……」周憐兒頽靡的臉孔出現了甜蜜的微笑，「這會兒，施聆風可趕不上我了……你別走太遠，林郎……等我一等，等等我……」

她闔目，自絕了內息。一縷幽魂，堅決的前去追尋她此生不能及的林郎了。

麗郭悄立在車頂上，良久，才輕輕嘆息，「……無人不冤，有情皆孽啊。」她蹲下身，對她深深的磕了幾個頭。

情關使人爲聖，也使人入魔啊……

她呢？麗郭困擾起來。她愛上烏紇，終究是聖是魔，對或不對呢？說起來，她也是無解，無解啊……

對於大管家的詢問，和眾堡丁的讚嘆，麗郭突然覺得很厭倦，她擺了擺手，就爬回馬車去了。

烏紇的啞穴還沒解，倒是快把馬車上的火把掛鉤給拆了。

救了這個男人……會不會是更多戰禍的起源？

麗郭心裡越來越鬱悶，「喂，叫兩聲汪汪，我就放開你。」

烏紇氣得目眥欲裂，張著嘴無聲的罵著，看那嘴形大約也不是啥好話。他轉頭又拚命拆火把掛鉤。

麗郭越想越沮喪，「連讓你叫兩聲汪汪都不依我……人家這麼煩、這麼拚命，你連這點小事都不依我……嗚……」她乾脆哭了起來。

烏紇馬上慌了，他停下動作，想摟住麗郭，她卻嬌蠻的一掙，「我知道你不愛我啦！哇～～」

要知道，烏紇天不怕、地不怕，就只有麗郭的眼淚是他的死穴。

這……不過……不過就是……叫兩聲嘛！他不甘不願的張嘴，無聲的叫了兩聲「汪汪」。

「你沒有誠意啦！連聲音都沒有，哇～～」

摟著她的烏紇翻了翻白眼，啞穴都被她點了，他要怎麼有誠意的出聲啊?!

等麗郭哭累了，烏紇忍不住罵了聲：「唯女子與小人難養也。」好死不死，偏偏他的穴自動解了，這句話當然也清清楚楚的傳進了麗郭的耳朵。

「什麼？有種你再說一遍！」她豎起那對美麗的柳眉，看起來有點可怕。

「沒有沒有，我什麼也沒說……」烏紇很悲慘的發現，他自命英雄了得，面對麗郭時卻特別沒種。

老天爺，祢怎麼可以這樣對待我……他無聲的跟蒼天抗議。

折騰了半天，麗郭伏在烏紇懷裡，悶悶的出聲，「其實，周憐兒的武功並沒有被廢。」她無精打采的，「因爲八寶甘味安眠散還沒完成，還欠生梨……她雖然著了我的道，也只是暫時的。我只是想先逼退她而已……情之爲物，使人成聖，也使人入魔。」

「……烏紇，我會成聖或入魔？」她始終想不出答案。

別人或許聽不懂她這沒頭沒腦的話，烏紇倒是一下子就懂了。「都不會。」他短促的笑了下，「妳只會是我的押寨夫人，跟聖魔有什麼關係？我啊……骨子裡就是馬賊，不管命運讓我去哪兒，還是一方馬賊而已。」

別人或許不懂他的說法，麗郭倒是懂了。她破涕爲笑，滿足的蜷在他懷裡。

說眞話，這樣軟玉溫香抱滿懷的滋味眞的不錯，眞的該死的不錯，但是……

「麗郭，親愛的娘子……」烏紇有些哭笑不得，「妳能不能把這條狗鍊拿下來？我知道錯了，當初不該這樣拴著妳……能不能幫我打開？我覺得呼吸有點困難……」

他為了抱麗郭，紫金鍊不夠長，已經勒著他脖子很久了。

「叫兩聲汪汪來聽。」麗郭看了看那華麗的纓絡圈。別忘了，她是很會記恨的。

「麗郭！」烏紇氣急敗壞的叫了出來。

之後往賀蘭山的路程居然一路平安，大管家也甚感訝異。暗黑武林不曾來騷擾，連他擔心的……那群人都沒有出現。

這根本是暴風雨前的寧靜。他心裡越發沉重，卻只是堅毅的擰緊眉。

一切都等回到烏家堡再說吧。

等終於平安進入烏家堡大門，他這才感覺到這場旅途眞的很長、很長。

等安頓了「傷重」的烏紇，他馬上請麗郭到後堂診治烏堡主。

這個威震關外的烏家堡非常樸實，樸實得跟關寨沒有什麼兩樣。所有的宅子都是用堅固的石材砌成的，堡區周圍圍著木牆，牆上有箭垛，附近還有賀蘭山流下的珍貴水源，儼然是一個自給自足的小城鎮。

麗郭冷眼看著。這根本是個軍事要塞吧？聽烏紇說，堡裡養了堡丁約三千人。當馬賊，這人口未免也太驚人了。

她默默的跟在大管家後面，不禁好奇烏堡主是怎樣英雄了得的人。

等她看到床上的老人，不禁一怔。

也未免、未免太小了點。估量身段，她都比他高些，就算是年老縮水，也縮太多了吧?!更何況烏堡主雖銀髮蒼蒼，卻面如桃花，潤如冠玉。

大管家恭敬的行了禮，出去了。

麗郭仔細端詳烏堡主，只見他閉著的眼睛突然睜開，粲若寒星。

「烏堡主。」麗郭福了福，「我是鬼醫林麗郭。」

「遠道而來，辛苦了。」烏堡主雖然病重，聲音依舊有力，「紇兒跟妳一起回來嗎？」

「是。」麗郭謹慎的看著這位面相清奇的前輩。

「我的病自己知道。」烏堡主勉力坐起來，婢女要扶他，他揮手，和藹的說：「妳們都累了一天，退下吧。讓我單獨跟鬼醫說幾句話。」

婢女都退下後，烏堡主似憂似喜的冥想了會兒，「鬼醫，我的病不急。煩妳告訴紇兒……快逃，此生別再回烏家堡了。烏某在此謝過……」

麗郭趕緊扶住他，心裡一寬，「烏堡主，烏紇的安危我敢打包票，你儘管放寬心。且讓麗郭爲你診脈吧……」

烏堡主多看了她兩眼，終究還是躺回床上，「是這樣嗎？太好了，眞是太好了……」

麗郭沒來由的臉一紅，趕緊替烏堡主診脈，卻猛然愣住。這脈象……太奇怪了！男女脈象有別，但是烏堡主的脈象卻混亂不已，男女兼具。他這病恐怕是胎裡帶來的，多年血脈不暢，累積至今，年紀大了，越發沉重。

「烏堡主，你……」這種脈象聞所未聞，莫怪尋常大夫治不了，也險險難倒她了！

「呵，妳要問我是男是女？」他粉桃似的臉出現溫柔的笑，「我是畸人，都可以的。我不打算留下後嗣，紇兒就是我的孩子，是男是女，很重要嗎？」

「不，一點都不重要。」麗郭對他的敬意又提升了幾分。這樣的身體……不知被歧視成什麼樣子！他卻忠心耿耿，一心為國，即使背負污名也在所不惜。

就算賭上她所有的醫術，她也非治好烏堡主不可！

仔細診脈，她心裡有了計較。「這病，拖點時間而已，我能治。」她心知這是什麼毛病，烏堡主是畸人，雖是男兒裝束，也以男性為官，但是他真的要看的，是婦科。

唐時醫藥已經很發達了，但是對婦科卻還隱諱懵懂。幸好麗郭本是女醫，多有鑽研，若是她父親來，怕也沒什麼辦法吧。

難怪卦象說烏老英雄得「乾貴」，原來是這樣的乾貴啊……

「烏堡主，我只有個要求。」麗郭細思之後已有把握。「請讓負傷的烏紇也來此養病。」

「這可使不得。」烏堡主憂心忡忡的睜開眼睛，「就算仲謀在我眼下不敢動他，可他能跟我這老人關一輩子嗎？外面天寬地闊，他一個年輕人，本該有番作爲……困在這兒，當眞是生不如死了，妳還是讓他快逃……」他頓了頓，「他的傷……可要緊嗎？」語氣滿是掩不住的關懷。

「烏堡主，我只能說，外表的傷算不得什麼，內在的傷倒是受得挺重。」她極媚的一笑，「他是傻子，知道了自己的身世，卻爲了不想報父母深仇而自傷自艾，又傷心義父連面都不讓他見一見，怕是討厭他了……」她又加油添醋的說了一籮筐，弄得烏堡主淚眼模糊。

「他是我的孩子，我怎麼會討厭他？」烏堡主幾乎垂淚，「我跟仲謀爭執已久，但是他那個人……事關我的安危就沒了理性。就算他萬般皆依我，就這件事情，他暗地裡也是會動手的。妳讓紇兒來吧……就算死在他手底，我也是甘願的……」

麗郭在羅扇後面伸了伸舌頭，露出詭計得逞的笑容。

那笑，帶點邪氣，卻非常非常的美麗。

第九章

這對父子見面時，是非常感人的。

高頭大馬的烏紇像個孩子似的，跪在嬌小的烏堡主面前涕泣，「義父……」

烏堡主只是眼眶含淚，「紇兒，義父對不起你……一直瞞著你眞相。其實，你父親是我——」

烏紇堅決的搖頭，「這些我都知道，但是我也不想知道。我只知道義父將我撫養到這麼大，一直對我非常慈愛……你不但是我的父親，也是我的舅舅、我唯一的親人……」

麗郭悄悄的關上門，讓他們這對父子去說話。這個時候，她是很樂於當外人的。

一轉眸，發現大管家臉色陰霾的望著她，她心平氣和的回望，還給他極媚的一笑。

這讓大管家分外警戒起來。這個外表無害、嬌柔粉嫩的小姑娘，實在不能小覷！剛進堡就讓她將了一軍，接下來的棋竟是無處著手。

養虎遺患！眼見傷重垂危的烏紇竟是漸漸好轉，可見鬼醫醫術之高明。現下又讓她找到了全堡最安全的地方讓烏紇養傷，待烏紇痊癒了，他怎保烏將軍安全？

同樣心思細密百轉的兩人，一時之間竟是悄然無聲。

半晌，麗郭輕笑一聲，「烏堡主年輕時必定風華絕代。」

這話居然讓老謀深算的大管家紅了臉，怒斥：「妳小小姑娘家，滿口胡說！烏將軍英雄了得，英姿凜然，怎可用形容女子的詞兒誣衊他?!」

麗郭轉眸，垂下眼瞼，「這倒也是，小女子僭越了。」這著下得好，打蛇正中七寸。她從容的遞出藥方，「這是烏堡主和烏紇的藥方，但是哪張是烏堡主的，哪張又是烏紇的，我倒有點記不清了。」

豈有醫家記不清病家藥方之理！大管家咬緊牙，忍耐著不發作。這是警告他別在藥方上作文章是吧？

「藥煎好了，又怎麼分呢？」他冷笑一聲。

「嚐嚐味道就知道了。」她慵懶的笑笑，「哎，醫家替病家嚐藥，也是應該的。若是藥方開得不妥……我這庸醫也該先歸西，你說是吧？」

大管家握緊拳頭。雖然他是軍師出身，卻有一身深厚的好武藝，脾氣向來甚是暴躁。只是烏將軍素來有儒將之稱，不喜他隨便發怒，這才勉強改了過來。

這小小的姑娘居然勾起他多年不動的火氣！

冷哼一聲，忿忿的將袖一甩，他拿著藥方離去。

麗郭只是涼涼的搖著她的羅扇。天下沒有神隱要保保不住的人，也沒有她鬼醫的病家死於非命的道理！一介武將想跟她鬥？轉世投胎比較快吧。

她斜倚門框，實在站沒站相，但是她這麼一站……原本荒涼的塞外，也讓她站成了江南春曉。只見她粉白的羅裳在微風裡輕輕飄動，羅扇遮著嘴，望著粉蝶翩翩上下，眉間攏著輕愁，竟是醉人眸。

但是，誰也不知道這個看似悠閒的閨閣千金，心裡轉的竟是百千個心思，套套連環，就是諸葛再世，也得平起平坐。

這日，麗郭居然有了訪客。

堡丁望著這個風塵僕僕、嬌憨憨的小姑娘，搔搔腦袋，不知道怎麼將她轟出去。

「這位大哥，」小姑娘可憐兮兮的接過堡丁遞來的水，咕嚕嚕的喝了大半杯，這才吁了口氣。「聽說我三姊到烏家堡作客了？我是她小妹麗剛，能不能讓我見她一見？」她可愛的小臉皺成一團，「爹爹快回家了，讓他知道三姊居然跑來這兒玩，我們姊妹都會被剝皮的！拜託幫我通報一聲吧。」

三求四求，堡丁讓她求得心都軟了，只好硬著頭皮通報大管家。

大管家聞言，不禁心裡一驚。他的情報掌握得極準確，知道鬼醫的妹妹乃是俠盜神隱。可千防萬防，卻沒想到她居然從大門求見……

若拒絕了她，讓她從暗裡來，反而難防了。主意打定，大管家淡淡的說：「請林四姑娘進堡吧。」

待見到麗剛，大管家眼睛都直了。

怎麼？這個稚氣未脫的清麗小姑娘居然是俠盜神隱？

等麗郭前來大廳，兩姊妹見面居然又叫又跳，嘴巴不饒人的拚命鬥嘴，更讓他傻眼。

情報來源是否有誤？不是說神隱是高傲孤僻、堅毅果決的俠盜嗎？他非好好說說探子不可！

「大管家，」麗郭福了福，「你們將我拘了來，這下連我妹子都有事了！我父親快從西南返家，我又趕不回去，不是白累我妹子受責？這烏家堡這麼大，也讓我妹子躲幾天，等我父親的氣消了點，再跟她一起回家，可否？」

大管家沉吟了一會兒，於情於理，這樣的小姑娘千里迢迢而來，也沒拒門不收的道理。就在他眼下，就算她是俠盜神隱又如何？怕她們飛天嗎？

「林四姑娘不要客氣，就住下吧。」他點頭。

兩個姑娘很有禮數的福了福，吱吱喳喳的邊聊邊往內堂去，就跟尋常的姑娘家沒兩樣。

只是她們談話的內容是——

「喲，聽說謝必安來接妳，妳倒是戀著馬賊不肯走，吭？說起來我是不該來的，來了不知壞妳多少好事呢！」抓到機會不報復，就不是她神隱的本色了。麗剛覺得痛快得不得了。

麗郭咬著牙，一指恨不得戳透她額頭，可恨這丫頭武功練得那麼好做啥，戳都戳不到。「都什麼光景了，妳還打趣我來著?!我說神隱大人，我讓人綁了這麼久，妳到底查到哪兒去了？」

這段時間，四個姊妹，除了麗剛自己，三個都出狀況，她好歹只有一個人，大江南北都不知道奔波幾回了，想想姊妹的劫難大半都已底定，也就不想讓三姊太擔心。

「大姊、二姊都有點事兒，不過這會兒都解決了。先跟妳恭賀一聲，妳要當皇親國戚了，大姊不日就要封后，就等爹爹上京……」

大姊封后還不是什麼了不起的大消息，爹爹要返家了才是要緊事兒！「這下我眞的完蛋了……」麗郭喃喃著，「我不在家，爹非打斷我雙腿不可……是該往哪兒躲去才好……」

麗剛忍不住笑了出來，「妳也不用煩要躲哪兒去。我瞧這堡挺大的，將就住著，等生個一兒半女再抱著孩子回去，爹一當了爺爺，還不樂得眉開眼笑，什麼打斷腿都忘了。」

麗郭讓她說得臉孔一陣陣發燒，發狠道：「我撕了妳的爛嘴～～」

「喲，來呀來呀，從小打架妳哪次贏？怕妳的話，我的名字倒過來寫！」

麗剛不禁好笑，她這個嘴巴毒到有找的三姊，遇到情關，嘴也笨了、心也拙了，隨便她打趣都沒得還手，眞眞只有兩個字——

痛快！

麗郭氣喘吁吁的抓住笑軟了的她，嘴裡嚷著：「我看妳往哪兒跑~~」卻又壓低聲音說：「情形可是險得很了。這堡裡，有人要我病家的命……」她裝著追打，一五一十的細說了狀況。

「說冤家不好嗎？還病家哩。」麗剛笑說，接住了麗郭的拳頭，也低聲道：「我大概明白了。暗黑武林精銳盡出，都在附近候命了。我沒讓他們來搶人，打算先來探探虛實，畢竟這烏家堡屹立關外將近三十載，可不是好玩兒的。」

「我就知道妳明白的，才要妳來尋我。」麗郭細聲說著，「要攻進烏家堡，難！這裡的守備比邊關嚴上三分，更不要提大管家的陣法有多厲害……」

麗剛失笑，「我收集情報比妳精呢，我會不知道？」她明亮的眼睛閃爍著，既可愛又邪氣。「誰跟他硬碰硬？嗳，我們說這麼多幹嘛，妳可也帶我去見見那個馬賊姊夫啊。」

「林麗剛！」麗郭氣急敗壞的要擰她的嘴。

兩人一追一逃的，姑娘嬌笑的聲音，活潑了肅穆的烏家堡，來往的人不禁也跟著微笑，連遠遠看著的大管家都嘴角微彎。

只是，過了十天，大管家就笑不出來了。

很神奇的，一起去向烏堡主請安的林家兩位姑娘，竟然和烏紇一起在眾人監視之下消失無蹤。

「烏將軍，他們人呢?!」大管家幾乎要氣炸了。

氣色好了很多的烏堡主慢條斯理的喝茶，「走了。」

「走?!」大管家吼了起來，又忍耐的把聲音放低，「但是您的身體……」

「麗郭姑娘說，我再調養個十天半個月就可恢復如初。」烏堡主和藹的笑笑，「仲謀，到時候你就不用這麼辛苦了。」

大管家忍了忍，終是告退出去。

「給我搜！他們不可能平空消失的，快給我找出來！」

房裡，烏堡主微微的笑了笑。

這些孩子的鬼心思，眞是匪夷所思，又有趣得緊，居然會想到將地道打到他床下，仲謀說什麼也不會翻開他床底下察看吧。

紇兒……但願你一路平安，有麗郭姑娘跟著你，倒是你一生的福氣呵。

數不清第幾次撞到頭頂，烏紇蹲在地道裡，抱住頭，半晌不出聲。

「犯得著這樣鑽地洞嗎？」他沒好氣。

趴在他背上的麗郭懶懶的說：「不鑽地洞，難道等你管家叔叔殺過來？走穩點，當馬的人這樣跌跌撞撞，我讓你揹得很辛苦欸。」

在前面打著火把的麗剛拚命忍笑，肩膀還不斷抖動，抖得太厲害，連火把都閃爍起來。

「笑？妳還笑？」麗郭白了她一眼，「燒了頭髮，我看妳還笑不笑得出來！」

「三姊，妳好歹給姊夫留點面子。」不行了，再看三姊整治馬賊姊夫，她要忍笑到內傷了。

「小妹眞是貼心。」烏紇沮喪之餘，心裡略略感到安慰。

「不高興？不高興我找別人當馬。」麗郭說著就跳了下來。「王五，你揹我吧。這地道這麼遠，我走不動。」

烏紇投了一記殺人的目光過去，王五摸摸鼻子，「鬼醫大人，我瞧烏大俠揹得挺穩的，我背上有傷，怕顚著您老人家。」

「娘子，我揹妳吧……」烏紇轉頭，滿臉堆笑。

麗郭居然還考慮了一會兒，才說：「好吧，看在你這麼誠心的份上……」

唉，他是哪根筋不對，居然會愛上這種姑娘？這不是自找苦吃嗎？

直到出了地道，他還在自怨自艾。

「麗郭，到了。麗郭？」他喚。沒想到那個一路刻薄他的鬼醫，竟累到在他背上睡著了。

這些天，她爲了義父和他的病，幾乎都沒闔眼，心裡頭籌畫熬煎，總是看她愁眉發愣。

爲了保住他，不知道費了她多少心思，這樣嬌懶慣了的人，卻連聲苦都沒說。欠她的……可眞是欠足了好幾輩子的份了。

那讓她一些，又會怎麼樣呢？

將她抱在懷裡，見她睡得這麼沉，烏紇竟是不忍鬆手。

周圍的人藉故走開，留他們獨處，都去忙返回中原的事了。

就這樣跟她回中原嗎？烏紇的心裡有些茫然，輕飄飄的，沒有一點著力的地方。只有懷裡的溫軟身軀提醒他，就算未來如何，他，不會是孤獨一個的。

「快拔營！」出去探查的群豪突然策馬疾奔回來，「快快快！別被捲了進去，快趁現在走人！」

幾支響箭呼嘯而起，百來個暗黑武林群英慌忙動了起來。

王五聽了探子的回報，喜形於色，「烏大俠，好機會！不知道爲什麼，回紇人出了三千精銳去攻打烏家堡，據說烏家堡管事的已經被拿下了，我們剛好可以趁亂逃走！」

「烏家堡被襲？」烏紇的心都緊縮了起來。

在他懷裡的麗郭已經被吵醒，警覺的抓住他前襟，「鳥人，你想幹嘛？我不准你回去送死！」

烏紇定定地望了她幾眼，想將她記在心裡。這一別……恐怕此生不能再見了。

「妳跟他們回去。等我救了烏家堡的危難，這就去尋妳——」

「你孤身一個人能幹什麼?!」麗郭的聲音大了起來。

「我會使陣。」他要了旁人的弓和箭袋，牽了匹馬。

「使陣？」麗郭氣得聲音發抖，「你會幾種變化？」

「八十一種。」他翻身上馬，麗郭卻勒住他的馬韁。

「八十一種?!我真不敢相信，你是去送死的嗎?!」她不肯放手，「要使陣也是我使，輪得到你?!你是陣前衝殺的命，跟我搶什麼生意?你信不信我可以馬上使毒放倒你，讓你哪兒也去不了？不信你就試試看！」

「麗郭！大丈夫生於世，有當爲，有不當爲。」烏紇激憤起來，「是，管家叔叔爲了義父要殺我，但他也撫育我、愛護我到大。烏家堡是我長大的地方！我若苟且偷生，這種男人妳愛他做什麼？讓我去！」

「我沒不讓你去，吵什麼吵?!」麗郭厲聲道，轉頭吩咐王五，「煩你們跑這麼遠，終究無功而返。麗郭謝過了，若有命再見，我當不忘各位恩情。快回中原吧，少殺幾個人，多積點陰德。」

「鬼醫大人！」王五知道他們居然要螳臂擋車，不禁大驚失色，「我等也非貪生怕死之徒！」

麗郭翻身上馬，「呿，多回家看看妻子兒女才是眞。爲個不相干的女人送命，何必呢？」

「麗郭！」烏紇不贊成的吼，「這不是女人家的事情——」

「跟我男人有關，就是我家的事情！」麗郭吼了回去。

「我家嗎？」麗剛愁眉苦臉的也跟著上馬，「好啦，是我們家的事情……」

烏紇知道麗郭的脾氣，就算不讓她去，就算要使毒放倒他，她也會一意孤行。他咬咬牙，「小妹，麗郭拜託妳照看了。」

麗剛悲慘的看看滿臉悲壯的三姊，有氣無力的回答，「是……」當她的妹妹真是倒楣到極點了！

見三人騎馬疾馳而去，王五咬了咬牙，「兄弟們！鬼醫老人家的話都聽到了？快回家抱老婆去！格老子的要跟上去了！」

王夫人搶身出來，「夫君，等等我！我也要去！」

呼嘯一聲，竟是一百多名人馬全跟上了，麗郭回頭望望，「笨蛋！呆子……」

「我也想這麼跟妳說！」烏紇迎著風大吼，「麗郭，不要來！」

她罵的一聲，快馬加鞭，竟是與馬術精湛的烏紇並轡而行。

跟在後面的麗剛就苦了，她急急的趕著馬，在心裡默哀。馬賊姊夫，你把三姊看得輕了，她什麼都一學就上手，只是懶到有剩。三姊這馭馬術……恐怕是家裡姊妹最好的，連快馬送信的都趕不上，你想甩掉她？跑個三百里說不定可以……

只是，她這個保鏢就快被甩掉了！

「你們就不能騎慢點嗎？」麗剛哀號，「我輕功行，騎馬不太行啊～～」

不到一里，他們就在一個小小的土岡停下馬。

眼前景象眞是觸目驚心！

原以爲烏家堡憑著防禦工事大概可以支撐，卻沒料到他們這一逃，烏家堡正好調兵遣將，精銳盡出的要去追緝他們。好死不死碰到回紇大軍來襲，措手不及下，只能在堡外布陣嚴防，結果心焦的大管家一時大意，居然中箭落馬，被回紇大軍俘虜了。主陣無人，仗著幾個副旗手指揮，已然亂了起來。

望著密密麻麻的軍馬，麗郭心裡只覺得無力。雖然這千人大陣繁複異常，若是能抵達主陣，她應當可以指揮得起來，問題是──他們一百多名人馬，要怎樣攻進核心？饒是她聰明智慧，也實在想不出法子。

「我們殺進去！」暗黑群豪叫囂起來。

「你們當這是攔路搶劫？這些可不是肥羊，是狼啊！」麗郭忍不住罵出來。

「我們武功再好有什麼用？這是打仗啊……讓我搶到主陣就好了……我想想看，我再想想看……」

「小姑娘有些見識。」咯咯的嬌笑聲在他們身邊響起，「這陣有些意思，妳指揮得了？」

伴隨著一襲香風，穿著前朝華服的女子飄飄然的落下來，臉頰貼著艷紅的桃花鈿，至艷極嬌，那種笑容居然有點眼熟。

群豪心裡打了個突。好得很……那種笑容居然跟鬼醫有幾分相似。

隨即，一僧一道也悄然無聲的出現，更讓眾人嚇個半死。

要知道，群豪裡武藝驚人的不少，就算打不贏的世外高人，多少也聽得到動靜，居然這樣悄悄的冒出來……許多人的心底都不由得發冷。

「大師父、三師父！」烏紇驚喜交加，自他十一歲以後，這三個師父就出外雲遊了，沒想到如今又再見面。

「喲，小紇兒，怎麼不叫二師父？」嬌容女子不滿了，撲上去抱住烏紇的脖子。「二師父就知道，你會長得這麼雄壯威武，二師父可是等你等好多年了……」

「前輩不會跟晚輩搶男人吧？他有對象了。」麗郭冷冷的一把將烏紇拖過來。

烏紇苦笑，突然有種大禍臨頭的感覺。他最害怕的二師父也回來了……為什麼和他心愛的女人站在一起，兩個居然有些像？

「小紇兒，你變心了？」嬌容女子泣訴，「二師父不是跟你說過，不要隨便被野女人騙走嗎？這丫頭雖然長得嬌滴滴的，但是你跟了她，和跟我差不多慘呢——」

「二妹，別整紇兒了。咱們修練的人，口德要修啊。」和尚無奈的撥開她，只是揮袖，便讓嬌容女子飄然而起。

道士一臉玩世不恭，「喲，紇兒也入情關了。怎麼？老烏遇到麻煩了？」他輕描淡寫的望著下方的兵荒馬亂，「先說在前頭，我們修練的人，是不能插手俗世紛爭的，就算是為了老烏也不成。」

烏紇低了低頭，「弟子明白。」

和尚慈愛的撫撫烏紇的頭，「紇兒，我們是來探望你父親的。」

嬌容女子咯咯一笑，聲音是說不出的好聽，「自然得從這兒走過去。當然也阻不得你們跟著來……」她媚眼如波，橫了橫，「這俗世能擋得住我們的……恐怕沒有了吧？」

麗郭有些了然。「各位前輩是方士吧。」她心下略寬，「晚輩是青松子的外孫女。」

「嘖，老松天天誇個沒完的小外孫女就是妳？那我可得好好看看妳的手段了。」嬌容女子飄然而起，似乎足不點塵。「大哥、三弟，找老烏喝茶去。」

麗郭深深吸了口氣，囑咐王五幾句，他們皺眉聽著，點頭領命而去。

有這三位高人護航，官兵宛如潮水般分開，沒有人可以靠近。麗郭因此登上了主陣台，而他們三位微微一笑，依舊飄然前行，如入無人之境的走入烏家堡。

失了他們的屏障，驚愕的回紇兵士寧了寧神，又吶喊著衝殺而來。

「烏紇、麗剛，爲我護法！」麗郭嬌喝，掌起約莫有一人高的沉重令旗。

第十章

令旗一招，五行副旗手得了號令，精神為之一振。

大管家推演的這陣法，以五行八卦安列，小陣已然可觀，更不用提這種千人大陣。可以說入得陣來，哪怕是數倍以上的兵力，往往逃生無門，活活困死。

這陣法由主陣和五個副陣旗手指揮，若是五個副旗手，幾乎是烏家堡的堡丁都受過訓練，一人倒下，馬上有人替換上去，弱就弱在此陣變幻無常，精妙無比，主陣掌旗難以學習，烏紇算是聰穎的，還學了八十一種變化，其他堡丁或十八種，至多不過三十六變，陣法變化僵硬遲滯，完全發揮不出來。

所以，大管家一讓回紇打下了馬，整個戰況就危急了。

只見這個能坐著就不站著，能躺著就不坐著的嬌懶姑娘，居然將一人高的令旗舞得虎虎生風，變化萬千，原已衝散潰敗的陣式又重整回來，將回紇大軍切成數段，加以暗黑群豪最慣這等偷雞摸狗的偷襲，武功又高，遭截斷的小隊幾乎是一遇上就全數殲滅，一旦得手，他們又馬上沿著陣法竄逃，引誘敵軍入陣。

回紇將軍發現是主陣在搞鬼，高聲一喊，眾箭齊發，試圖將麗郭打下主陣，全靠麗剛和烏紇將箭擋了下來。

「師父們不會幫我們的。」烏紇逆風大吼，「小妹！發現情形不對，帶著妳姊姊逃走！」

麗剛簡直有苦說不出，她施展出全副武學對付滿天箭雨就快喘不過氣來了，哪像烏紇神力過人，還可以邊聊天哩！

「說這什麼喪氣話！」麗郭兩道秀眉豎起，「我雖不愛戰爭，卻也不容人辱殺！在我鬼醫眼下，豈有枉死病家？」她嫌長裙礙事，索性一把撕開，露出了雪白的大腿，令旗一展，「眾將士聽令！我命由我不由天！」

她氣勢凜然，令旗朝天一指，當空居然破開一線金光，照得整個主陣台閃閃發光，沐浴在金光下，宛如神人。「離兌入坎，開死門！」

烏紇讓她的氣勢一激，昂首虎吼，爬上主陣台的兩個回紇兵居然讓他的吼聲驚倒在地，又讓他臂貫神力的拎起一拋，砸斷了數丈遠外的回紇旗幟，這驚人的神武一下子重挫了敵軍的士氣。

但是，麗郭並沒有看到他的英勇。她將全副精神都投注在這個龐大繁複的陣法中，只見她踏著禹步，揮旗舉重若輕，狂風刮得令旗和她的衣衫翩翩然，是那樣的莊嚴，像是在跳舞，跳著向上天祈求勝利的神舞。

一步一虔誠，一揮一祈禱。天上的眾神哪，請祢們看看我的用心，看看我的獻祭，替我召喚勝利，不容辱殺的勝利！

「入震回兌，轉陰陽，閉生門！」她氣勢萬千的一揮手，五方副旗手得令，精神無比的協助指揮。

這是烏家堡沒有人會忘記的戰役，這般奇蹟似的戰鬥，也深深的銘記在所有參與人的心底，甚至讓回紇部落口耳傳唱了許多年。

有個嬌弱的姑娘，以身代祭，威風凜凜的站在高高的祭台上，用令旗發出最深沉的祈禱，引領戰神垂憐。

向來兵強馬悍、無往不利的回紇大軍膽怯了，膽怯於這個詭怪的陣法和那位大唐姑娘絕對的氣勢中。

但是，膽怯歸膽怯，回紇軍令簡明殘酷，退後就是辱死，增援的部隊又已來到，打著回紇親征王旗的旗幟飄揚著。

這個時候，烏紇突然明白了。

這個小小的烏家堡讓回紇傾盡全力攻打的主因——就是他，他這個回紇正統的皇子！

「有當爲，有不當爲。」他喃喃著，用一柄鐵槍打飛了數十支飛箭。「小妹，麗郭就拜託妳了！」

他和專注於陣法的麗郭交換了一眼，像是交談了千言萬語。

麗郭眼底出現了不捨、傷痛、害怕……然後是堅毅。

「……我還行。」她低語。

烏紇沉默的搖頭。已經是極限了……她掌旗這麼久，地上佈滿了她的汗水——因爲繡花鞋會滑，她早已赤著粉嫩的足疾走了許久許久，久到斑斑汗漬中摻了絲絲的血跡。

「有當爲，有不當爲。」他飛快的拉過麗郭的頭，深深的一吻。

然後，他下台衝向潮水似的敵軍，不敢回頭，因爲他知道……麗郭已是滿臉的淚。

眾神哪……把他賞給我，請把他賞給我！

麗郭發出一聲絕喊，更使勁指揮陣法，只求能多掩護烏紇一些些。撐下去，她這個時候絕對不能倒下！就算心力耗竭，眼前開始模糊一片，她也不能夠倒下！

那聲絕喊幾乎撕裂了烏紇的心，他暴吼著，如猛虎入狼群，身上深深淺淺的刀痕累累，卻無法讓他稍稍停滯。他的猛悍連善戰的回紇人都爲之喪膽，竟讓他砍倒了王旗，一掌扼住騎在馬上簌簌發抖的親王。

「統統住手！」他渾厚的內力加上如獅暴吼，引得周遭的馬驚鳴，一片混亂。他又扼緊一些，「讓他們住手，除非你不要你的項上人頭了！」

親王顫巍巍的擺了擺手，傳令號角響了起來。

麗郭將令旗重重一頓，陣法硬生生的停住，正在征戰的雙方居然都暫時罷了手。

孤身陷在敵陣中的烏紇扼著親王的頸子，數十把刀戟森然的指著他。

麗郭拄著令旗，喉嚨乾渴，不知道是汗水還是淚水，不斷的流進眼中，模糊一片。

她睜大眼睛，想要看清楚烏紇的模樣。

烏紇無懼的環顧四周，「我們都是親兄弟，爲什麼要自相殘殺？這個烏家堡既無財寶，也沒有牲口，更沒有女人，爲什麼要我們的兄弟來攻打這個窮寨子？」

他說的是回紇方言，回紇兵士們起了一陣小小的騷動。

「告訴我，爲什麼?!」他的聲音又更響亮了一點。

底下一片竊竊私語。回紇打仗，不比大唐等大國為的是開疆闢土，多半是為了劫掠貨資、牲口奴隸，這才興兵打仗。

跑來打這幫馬賊，明明知道吃力不討好，但是親王說要打，只好跟著打，而到底為了什麼……還真的是不知道。

「就因為這個發抖的膽小鬼嗎？因為他是前代可汗的弟兄嗎?!」烏紇掐著親王的脖子，高高的舉起搖晃，親王的臉轉成豬肝色，手腳亂舞，嚇得褲襠溼了一大片。

回紇官兵都露出鄙夷的神情。回紇人最敬勇士，這個親王仗著是前代可汗的弟弟，戰利品幾乎都歸他所有，打仗卻都縮在最後面，跟前代可汗比起來……真是差太遠了。

而現在居然又在戰場上嚇得失禁，上上下下都覺得沒面子。

「若要說可汗的血……我有！」烏紇單手撕開上衣，露出一個猙獰的狼頭刺青。「我身上流著可汗的血！認認我的臉，認認我的刺青！如果這些你們都認不得，那就問問台上的神人！」

他一指指向遙遠主陣台的麗郭，「問問那位神人！我們回紇軍天下無敵，但是爲什麼打不下這少少的幾百人？因爲神人站在我這邊！我有神人庇護，誰也傷不了我！」他瞇細眼睛，「若還有誰不相信……就繼續打試試看！當神人的旗一招，英勇的將士都得獻祭於天！你們的英勇，上天都看到了，但是你們的英勇不該是浪費在此，這也是上天的旨意！」

靜默了一會兒，只有風呼呼的吹過。

「是可汗！可汗終於回到回紇了！」兵士中，不知道是誰喊了這句，好似有感染力一般，呼喊蔓延開來，「可汗可汗可汗！」最後竟是驚天動地。

幾乎無力的麗郭看著遠方撒謊面不改色的烏紇，心不甘、情不願的配合，將令旗朝天一指。

群眾眞的是盲目的……不分敵我，歡呼聲爆開來，震耳欲聾。

終於結束了……麗剛癱軟下來，她不知道擋了幾千幾萬支箭，兩條手臂重得舉不起來。

「麗剛，妳要癱能不能到我背後癱？」麗郭的聲音很平靜，「撐著我一下……我快站不住了。」

麗剛爬到她背後，「辛苦妳了，三姊。」她突然覺得自己嫁得算好了。「有這種相公，大概不會太輕鬆。」

「我知道。」麗郭兩條腿抖個不停，「他到底幾時才會過足戲癮？神人從台子上栽下去，可不太神。」

「三姊……」沒力的麗剛抱住她的腿，「妳儘管栽吧，我抱住妳了。」

麗郭很沉重的嘆了口氣。

據說，回紇可汗的乞婚書讓父親嚇得病了，不過，麗郭堅持是大姊驚嚇他在先，絕對不是她這起婚事的關係。

新婚時，林太夫人倒是來了，聽了周憐兒的事情，她默默不語好一會兒，才冷哼說：「好不要臉的狐狸精！以爲早點死，妳爺爺就會跟她了？意玄可是要跟我生生世世的……」

說是這麼說，林太夫人還是急急的擺了香案，連說帶唸的遙祭已逝的相公，還不忘寫了一大篇訓夫詞燒了給他。

年紀一大把了，還這麼有興致吃這種醋，實在不簡單……麗郭暗嘆。

「幫我安慰一下爹爹。」麗郭搔搔頭，「我也沒想到我會嫁給回紇可汗……」

林太夫人笑了笑，「我就知道妳們姊妹會嫁得不平凡。」

麗郭無奈的笑了笑。不平凡嗎？的確是不太平凡。烏紇得到回紇族裡大老的認可，眞的成了回紇可汗。

不過，她這個馬賊丈夫，當眞到哪兒都是馬賊——

「其實想想，當可汗也沒什麼不好的。」烏紇盤算著，「起碼要不要打仗，都由我作主是不？打仗勞民傷財，當當馬賊多好，有整個回紇當靠山，眞是賺大了！

我不但賺往絲路去的大唐商人，還賺從絲路來的外國商人，根本是不用錢的買賣嘛！怎麼算怎麼上算……」

「嫁是嫁給你了，」麗郭擺擺手，「不過，你別指望我跟著你去住帳篷、養馬養羊的。你明明知道我手不能提、肩不能挑，我還打算在烏家堡繼續開我的鬼醫館呢。你呢，你還是得跟部落走，逐水草而居……看起來我們是要聚少離多了。」

「每年春天我就回來，秋末我才走。」他含情脈脈的看著麗郭，「我們一年有三季都在烏家堡過。妳是誰，我又是誰？兩情若長久，豈在朝朝暮暮？」

麗郭媚然一笑，她知道，終是遇到那個懂她的人了。

紅燭高照，喜洋洋的暖光，照得她雙頰酡紅似醉。

這可是他們的洞房花燭夜啊。

「麗郭……」烏紇伸手抱住她，軟玉溫香在懷，令人意亂情迷，不飲自醉……

喀嗟輕響，他不敢相信的看著自己頸上的纓絡圈，更不敢相信自己居然又被銬了狗鍊。

麗郭氣定神閒的支著頤，媚眼眨呀眨的，「來，叫兩聲汪汪來聽。」沒錯，她是很會記恨的。

「……林麗郭！」

一聲暴吼從新房裡傳了出來——真是個別出心裁的洞房花燭夜呵。

作者的話

「大四喜」的最後一本終於完結了，結果還是成了武俠味極濃的小說。

雖說我寫來非常過癮，但是應該會辛苦各位讀者了。不過，這卻是我最喜歡的風格，充滿了陰謀和各式各樣的不得已、江湖仇殺等等……要不是控制住了，這本細寫可能變成上中下三冊的武俠小說，然後讓編編昏倒……

（我真的不是故意的喲……）

當然啦，我刻畫女主角的時候非常開心，但是男主角卻著墨甚少，應該是我非常喜歡「鬼醫」這個角色，所以……

（其實我的小說通常都只有女主角，男主角只是戲分重要一點點的男配角……哈哈～～）

不過，這部小說裡面意外的出現了一個很顯眼的角色：周憐兒。本來只是想替這段旅程增添一點驚險的色彩，結果女魔頭寫著寫著，居然寫出了自己的生命……我也挺無言的。

寫完才發現，她有李莫愁的影子，但是已經修改不及了。

嘎嘎嘎～～我不是故意的啦～～

只是討厭壞人就壞到頭頂長瘡、腳底流膿，只是情痴誤一生，也不是壞到絕啊！

我也不相信有男人可以鐵石心腸到那種地步，就算他心有所屬，也很難不感動。

結果，寫著寫著就變成這樣了……

情字，令人入聖，也使人成魔。這個意外出現的女魔頭，讓我不禁這樣感慨著。

本來以為鬼醫會永遠胎死腹中呢，因為回紇的資料真的少到可憐，真讓我寫，我看了一堆書，還是很茫然。結果就用了最偷懶的辦法——繞道而行。

這其實是我個人的小祕密。

曾經有人誇我用對話做開頭很切題、新奇，我在心裡默默的回答：我只是想不出怎麼破題而已。

也有人說我過場寫景非常優美，我也默默的回答：其實只是我想不出來要怎麼銜接場景而已……

作家很像織者，不斷的投梭織布，只是經緯間或許斷線重接，或者掩飾漏針，或者花色不熟悉。但是身為一個作者，就必須要做到天衣無縫的掩飾過去。

所以我不寫自己不熟悉的題材，常常要寫到專業或考據的部分，往往鏡頭一轉，來個女主角大特寫，模糊一下焦點。因為我對女主角熟悉，對那些部分不熟悉。

所以，我對不熟悉的古回紇，也是含糊帶過……這是我沒有好好的消化資料所致，先在這裡致歉。

不過，這個套書倒是讓我下了個決心——打死也不再寫明朝代了。楔子漫不經心的一句「唐朝」，讓我寫得淚流滿腮，此後我大概會很熱愛架空吧……

感謝各位看完了這套套書，也就這麼寫了一年……

（啊？不會吧？我又老了一歲了……）

希望年年可以與各位相逢。

國家圖書館出版品預行編目資料

雲鬢亂 / 蝴蝶著 .-- 二版 .-- 臺北市：春光出版：
家庭傳媒城邦分公司發行, 民99.04
面；公分

ISBN 978-986-6572-68-5（平裝）

857.7 99004602

雲鬢亂

作　　者 / 蝴蝶
企劃選書人 / 楊秀眞
責 任 編 輯 / 李曉芳
行 銷 企 劃 / 廖婉芸
業 務 主 任 / 李振東
總　編　輯 / 楊秀眞
發　行　人 / 何飛鵬
法 律 顧 問 / 台英國際商務法律事務所　羅明通律師
出　　版 / 春光出版
台北市 104 中山區民生東路二段 141 號 8 樓
電話：(02) 2500-7008　傳眞：(02) 2502-7676
部落格：http://stareast.pixnet.net/blog
E-mail：stareast_service@cite.com.tw
發　　行 / 英屬蓋曼群島商家庭傳媒股份有限公司城邦分公司
台北市中山區民生東路二段 141 號 11 樓
書虫客服服務專線：(02) 2500-7718 / (02) 2500-7719
24 小時傳眞服務：(02) 2500-1990 / (02) 2500-1991
讀者服務信箱E-mail: service@readingclub.com.tw
服務時間：週一至週五上午9:30～12:00，下午13:30～17:00
劃撥帳號：19863813　戶名：書虫股份有限公司
城邦讀書花園網址：www.cite.com.tw
香港發行所 / 城邦（香港）出版集團有限公司
香港灣仔駱克道 193 號東超商業中心 1 樓
電話：(852) 2508-6231　傳眞：(852) 2578-9337
E-mail : hkcite@biznetvigator.com
馬新發行所 / 城邦（馬新）出版集團【Cite(M)Sdn. Bhd.(458372U)】
11, Jalan 30D/146, Desa Tasik,
Sungai Besi, 57000 Kuala Lumpur, Malaysia.
電話：(603) 9056 3833　傳眞：(603) 9056 2833
封 面 設 計 / 黃聖文
內 頁 排 版 / 浩瀚電腦排版股份有限公司
印　　刷 / 鴻霖印刷傳媒股份有限公司
電話：(02)2740-0511　傳眞：(02)2752-8853

■ 2010 年（民 99）5 月 4 日初版　Printed in Taiwan
■ 2010 年（民 99）12 月 8 日初版 4 刷

售價 / 200元

城邦讀書花園
www.cite.com.tw

ISBN 978-986-6572-68-5

廣 告 回 函
北區郵政管理登記證
台北廣字第000791號
郵資已付，免貼郵票

104 台北市民生東路二段 141 號 11 樓

英屬蓋曼群島商家庭傳媒股份有限公司

城邦分公司

請沿虛線對折，謝謝！

遇見春光・生命從此神采飛揚

春光出版

書號： OF0028	書名： 雲鬢亂

請於此處用膠水黏貼

讀者回函卡

謝謝您購買我們出版的書籍！請費心填寫此回函卡，我們將不定期寄上城邦集團最新的出版訊息。

姓名：________________________

性別：□男　□女

生日：西元__________年__________月__________日

地址：________________________________

聯絡電話：________________ 傳真：________________

E-mail：________________________________

職業：□1.學生 □2.軍公教 □3.服務 □4.金融 □5.製造 □6.資訊

□7.傳播 □8.自由業 □9.農漁牧 □10.家管 □11.退休

□12.其他 ________________________

您從何種方式得知本書消息？

□1.書店 □2.網路 □3.報紙 □4.雜誌 □5.廣播 □6.電視

□7.親友推薦 □8.其他 ____________________

您通常以何種方式購書？

□1.書店 □2.網路 □3.傳真訂購 □4.郵局劃撥 □5.其他 ________

您喜歡閱讀哪些類別的書籍？

□1.財經商業 □2.自然科學 □3.歷史 □4.法律 □5.文學

□6.休閒旅遊 □7.小說 □8.人物傳記 □9.生活、勵志

□10.其他 ________________________

請於此處用膠水黏貼